Екатерина **Вильмонт**

Подсолнухи зимой
(Крутая дамочка)
②

Москва
АСТРЕЛЬ • АСТ

УДК 821.161.1
ББК 84 (2Рос=Рус)6
В46

Подписано в печать 07.05.08 г.
Формат 84x108 ¹/₃₂. Усл. печ. л. 11,97.
С.: ПС: Вильмонт. Доп. тираж 15000 экз. Заказ № 1313.
С.: Совр. жен. Доп. тираж 20000 экз. Заказ № 1312.

Общероссийский классификатор продукции
ОК-005-93, том 2, 953000 — книги, брошюры

Санитарно-эпидемиологическое заключение
№ 77.99.60.953.Д.007027.06.07 от 20.06.2007 г.

Вильмонт, Е. Н.

В46   Подсолнухи зимой (Крутая дамочка-2)/
Екатерина Вильмонт. — М.: Астрель: АСТ, 2008. —
285, [3] с.

ISBN 978-5-17-051344-4 (АСТ) (ПС: Вильмонт)
ISBN 978-5-271-19906-6 (Астрель)
Оформление обложки дизайн-студия «Дикобраз»

ISBN 978-5-17-051345-1 (АСТ) (Совр.жен.)
ISBN 978-5-271-19907-3 (Астрель)
Дизайн разработки серии дизайн-студия «Графит»

Это продолжение ранее выходившей книги Екатери-
ны Вильмонт «Крутая дамочка, или Нежнее, чем польская панна».

УДК 821.161.1
ББК 84 (2Рос=Рус)6

Часть первая

Концы в воду

...Пепельница разлетелась вдребезги. Стало легче. А его уроки не прошли даром, усмехнулась про себя Марго. Спасибо большое! Чего я, собственно, взбеленилась? Он явится тридцатого, а я улечу двадцать девятого. С мужем, на Майорку. И никаких проблем!

Правда, возникла другая проблема. Как легализовать кольцо, дошедшее до меня через двадцать с лишним лет? Я хочу его носить, оно мне нравится, нельзя никому говорить, откуда оно, а то начнутся причитания: «Ах, привет с того света», и прочие глупости. А мне плевать на все суеверия, я буду его носить... Дима заслужил это. Он всю жизнь, оказывается, любил меня. Кто бы мог подумать... А я? Я никого не любила так, как его. Он купил кольцо к нашей несостоявшейся свадьбе двадцать два года назад... Но, если он действительно меня любил, как он смел столько лет молчать об этом? Меня-то он за что покарал?

Марго деловито удалила эсэмэску Вольника, заперла кабинет и вышла во двор.

— На дачу, Маргарита Александровна? — спросил Володя.

— Да.

— Устали нынче? — сочувственно осведомился водитель.

— Не то слово. Тяжелый день был...

— От дочки-то есть что?

— Да, она в полном восторге!

— Вот и слава богу! Это ж хорошо, что у девчонки теперь еще и родной отец есть, хоть и в Штатах.

— Да, по-видимому, так...

— А вам уж, небось, тоскливо?

— Есть немножко.

— Да что там, две недели пролетят — и не заметите, с такой-то работой.

— Да, я, пожалуй, вздремну немножко, Володя...

— Спите, спите, я молчу.

Она и в самом деле уснула.

— Маргарита Александровна, приехали.

— Ох, всю дорогу продрыхла, надо же... Спасибо, Володя.

— Завтра как всегда?

— Конечно. До свидания.

На лавочке у крыльца сидели обе тетушки. Из-за дома доносился какой-то стук.

— Маргоша, ты так поздно... Я уж волноваться начала. А где Аля? — спросила Эличка.

— Осталась в городе, ей завтра в шесть утра нужно встретить поезд. А что это за стук?

— Даня решил сколотить стол, чтобы можно было сидеть на воздухе, — с радостью сообщила Эличка. — Мы еще не ужинали, ждали тебя. Да, ты знаешь, Тасенька сегодня в лесу нашла прелестное колечко...

— Да? Красивое?

— Золотое, с маленьким сапфиром, очень изящное, — подтвердила Нуцико.

— И я сегодня нашла кольцо! — улыбнулась Марго. — Вот.

— Где же ты его нашла?

— У себя в шкатулке. Мне его когда-то подарили, я про него забыла, а сегодня вдруг нашла, и оно мне ужасно понравилось.

— Цитрин? — спросила Нуцико.

— Кажется, да, не помню.

— День найденных колец, — усмехнулась Нуцико, и, кажется, день большого вранья. Неужто Марго получила это кольцо в подарок от тогоураганного мужчины?

Между тем стук прекратился. Из-за дома с молотком в руках появился Даниил Аркадьич в шортах, без рубашки, в кепке, надетой задом наперед.

— Я слышу, моя любимая жена приехала?

— Привет, говорят, ты стол решил сколотить?

— Более того, я уже его сколотил. Завтра утром врою и сколочу лавки.

— А где ты доски взял?

— Странный вопрос. Купил. Согласись, глупо, что на таком большом участке нет стола с лавками. А вернемся с Майорки, я сделаю мангал, и будем шашлыки жарить. Левочка давно грозится приготовить какую-то особенную рыбу на мангале. У нас теперь будет настоящая дачная жизнь! Елена Вахтанговна, а ужин работяге полагается?

— Конечно, но в таком виде, Даня, я вас за стол не пущу!

— Обижаете, я и сам никогда бы не посмел... Маргоша, у тебя все в порядке?

— Да, да. Просто устала...

— Тася, накрывай на стол! — крикнула Эличка. Марго и Нуцико остались вдвоем на лавочке.

— Хорошо, что Даня теперь живет с нами... И Аля с Тасей... Опять большая семья, но мне ужасно не хватает Тошки... Скажи, это кольцо подарил господин Ураган?

— Нет, что ты... Это подарок Димы.

— И ты действительно нашла его в шкатулке? Только не ври мне, Марго, ты врать не умеешь.

— Мне передала его Димина сестра, она приходила ко мне в офис.

— Ты из-за Дани наврала?

— Да нет... Сама не знаю зачем.

— Неважно. Я тебя разоблачать не собираюсь.

— Ох, Нуцико, пока я не забыла... Давно хочу спросить и попросить.

— О чем, Марго?

— Ты не согласилась бы просмотреть и разобрать папины дневники? А то валяются в квартире под роялем, а могли бы, возможно, пригодится его биографам...

— Как можно, Марго, это все равно что читать чужие письма... Даже хуже. Письма все-таки предназначены хоть для чьих-то глаз, а дневники, это слишком интимно...

— Но что же мне с ними делать? Сжечь?

— Не знаю...

— По-моему, Нуца, ты чересчур щепетильна. Когда люди не хотят, чтобы их дневники или письма кто-то прочел, они сами их сжигают, если только смерть не застала их врасплох. У папы много раз была такая возможность... А то уже Тошка предлагала свои услуги. Мне бы этого не хотелось. Ты все-таки взрослый человек, ты многое о папе знаешь и уж точно никому ничего лишнего не сболтнешь. А если решишь, что дневники следует сжечь... Что ж, так и поступим. У меня руки еще долго не дойдут.

— Но ты же вывезла отсюда архив.

— Дневники в двух ящиках, я привезу тебе завтра один.

— Ты действительно этого хочешь?

— Действительно.

— Ну что ж... Только давай договоримся: ты никому об этом не скажешь. И Элико в первую очередь.

— Обещаю. Элико слишком наивна для папиных дневников, ты права. И спасибо тебе огромное. На самом деле, кроме тебя, мне некому это доверить.

— Нуца, Марго! К столу! — крикнула с веранды Эличка.

— Тетя Марго, ужинать! — выскочила на крылечко Тася.

— Тася, ты чего так расхорошилась? — ахнула Марго. — Уж не влюбилась ли?

— Нет, что вы... Просто я сегодня колечко нашла, все говорят — на счастье.

Аля пребывала в некотором недоумении. После восхитительного ужина со Львом Александровичем она чувствовала себя совершенно счастливой, хотя он тогда у нее не остался. Она не очень огорчилась, ибо так была переполнена чувствами, что даже хотела остаться одна, чтобы еще раз пережить этот вечер уже наедине с собой. Вспомнить все его слова, взгляды и жесты. Кажется, он и вправду меня любит, ну, может, это слишком, но влюблен здорово... И он такой очаровательный, умный, веселый, нежный... И хорошо, что ничего не было, а то он же все-таки не молоденький, вдруг проблемы какие-нибудь, пусть он привыкнет ко мне, сама я ничего форсировать не буду. Мне и так хорошо, блаженно думала она, глядя на себя в зеркало и не узнавая прежнюю Алю. Красивая модная стрижка, мелированные русые волосы, сверкающие глаза. Все правильно, решила она, если бы он оказался еще роскошным любовником, я бы начала умирать от страха — слишком хорошо все складывается, так не бывает. У Таськи вот талант обнаружился... И мне теперь за нее не так страшно, в доме Марго она не пропадет, дурному не научится...

Но на другой день она все-таки ждала его звонка, а он не позвонил. Ну, замотался, наверное, он же занятой человек, мало ли... Или это опять маневр, чтобы держать меня в тонусе? На третий день, накануне отъезда Марго, Татьяна ее спросила:

— Аль, что с тобой? Я говорю, а ты не слышишь...

— Ох, прости, Танечка, я задумалась о своем...

— Влюбилась, не дай бог?

— Почему не дай бог?

— Точно, влюбилась. Ох, не вовремя, Аля. Тебе думать о работе надо.

Марго Аля все же побаивалась, а к Тане прони-
клась доверием. Та была куда мягче и больше рас-
полагала к откровенности.

— Танечка, прости, я возьму себя в руки, просто
он третий день уже не звонит...

— Подумаешь, третий день... А ты его давно
знаешь?

— Нет, недавно.

— У вас с ним что-то было?

— Нет пока...

— Тогда чего куксишься? Позвонит...

— Думаешь?

— А чего тут думать, есть только два варианта:
позвонит или не позвонит. В каждом из вариантов
можно найти положительные стороны. Ну, насчет
первого варианта, ты сама лучше меня все знаешь,
а если не позвонит... Ну, значит, он не твой кадр.
Смотри проще на это все. Вот что, идем-ка обедать. Я чувствую, ты нуждаешься в дружеских со-
ветах.

Они отправились в соседнее кафе, где обычно
обедали сотрудники агентства. Однако сегодня никого из своих там не было.

— Рассказывай! — потребовала Таня, когда они
сели за столик. — Я так понимаю, Марго в наперс-
ницы не годится?

— Да нет, Марго замечательная... только я немного ее боюсь, особенно в этом вопросе...

— Странно, вообще-то Марго не любит лезть в чужие дела.

Аля замялась.

— Да я все понимаю... но...

— Постой-ка, подруга, кто этот твой хахаль?

— Да так... один...

— Уж не Левочка ли?

Аля залилась краской.

— С ума сошла? Тебе что в голову ударило?

— Таня, пойми, он же...

— Он же что? — очень жестко спросила Татьяна.

— Он — самый лучший, и мы с ним... Понимаешь, он мне позвонил ночью и сказал, что любит меня и что уверен... в моей любви... Между нами что-то такое возникло, какая-то искра... Я боялась, даже бегала от него, телефон поменяла, а он... Он все равно меня нашел, Танечка, милая, если бы ты слышала, что он мне говорил...

— Ой, дура, какая же ты дура...

— Я знаю, мне Марго говорила, предупреждала, но другие люди не могут понять... Я знаю, у него куча баб, у него жена мегера, но... Знаешь, один мой знакомый... он тоже был страшный бабник, ни одной юбки не пропускал, и вдруг встретил женщину, влюбился без памяти, и как отрезало. Он стал верным, любил только ее, ревновал ко всему на свете... прожил с ней много лет, пока не умер...

— И ты полагаешь, что станешь для Левочки такой женщиной? — усмехнулась Татьяна.

— А почему нет? — вскинулась вдруг Аля. — Допустим, я не мисс Универсум, но и он тоже не Джордж Клуни. И он старше меня на двадцать лет, и между нами что-то возникло буквально с первого взгляда...

— Да, случай безнадежный... Только потом не говори, что я тебя не предупреждала...

— Танечка, знаешь... А можно я буду с тобой делиться, а? Мне так это важно!

— Делись, ради бога. Что там у вас было?

Аля, сбиваясь и краснея, рассказала об ужине в итальянском ресторане.

— И он не трахнул тебя?

— Нет.

— И под юбку не лез?

— Нет.

— И за сиськи не хватал?

— Нет.

— Да, это странно, на него не похоже, неужто и впрямь влюбился?

— А ты хорошо его знаешь?

— Даже очень хорошо, — усмехнулась Татьяна.

Алю обожгло догадкой.

— У тебя с ним что-то было?

— Было и быстро сплыло. Не мой типаж. Да он вообще, по-моему, окучивает всех, кто попадается на пути. Но если под юбку не лез, это серьезно. Дерзай, подруга, может, еще уведешь его... Если его не принимать всерьез, он вообще-то душка.

— Ты его не любила?

— Да нет, я так, от скуки... И беременна я не от него, не бойсь.

— Значит, по-твоему... у меня есть надежда?

— Ой, мама дорогая, как же ты втюрилась... Ладно, можешь делиться со мной, вдруг когда-никогда помогу советом. И Марго ни словечка не скажу. В конце концов, это не ее дело. Только ты о работе не забывай, а то уйду в декрет...

— Танечка, спасибо тебе за все, мне настолько легче стало...

— Ну и славненько!

Марго привезла на дачу одну из коробок с дневниками отца, отнесла в комнату Нуцико и задвинула под кровать.

— Нуца, ты попробуй, будет неприятно, брось. Не считай это своей обязанностью.

— Хорошо, я надеюсь, мне это поможет пережить присутствие этой ужасной Пунди.

— Тебе так неприятно? Зачем же ты согласилась?

— Ну вот еще, я переживу, а девочке необходимо. У нее и вправду талант, голос и, наверное, лучше Пундика никто ее к артистической карьере не подготовит. Так что я потерплю, — улыбнулась Нуцико.

— Нуца, я хочу еще тебя попросить...

— Слушаю.

— Мы завтра улетаем. А послезавтра может...

— Что? Может налететь ураган?

— Откуда ты знаешь?

— По выражению лица. Не бойся, я ему не проболтаюсь, где ты. Скажи, а Эличка в курсе?

— Нет. Она же тогда его не видела, и вообще... Она не поняла бы...

— Да нет, она так тебя обожает... Но ты же знаешь, я ничего никому не скажу. А ты-то хочешь его видеть?

— Нет. Только-только с Данькой наладилось... Нет!

— Ну и слава богу. Только предупреди Володю, а то он может проболтаться. Хотя... Ну не полетит же он на Майорку? Хотя может... Такой может...

— Не дай бог!

— Мне так грустно без Тошки, что я, пожалуй, даже рада этим дневникам. Впрочем, посмотрим.

Утром Володя отвез Марго с мужем в аэропорт.

Тошка стояла у окна, за которым плескался Тихий океан. За неделю она устала от впечатлений. Сегодня жена отца возила ее в Пасадену в какой-то ботанический сад. Тошка мало что запомнила из объяснений Энни, но сад был клевейший. Кактусы в два человеческих роста, японский садик, немыслимое количество цветов и пруды, кишащие дивной красоты красными и черными рыбами... Тошка просматривала снимки в цифровом аппарате и думала: вот Эличка будет языком цокать! Ей вдруг так захотелось домой, к теткам, к маме, к Таське. Хотя мама сейчас на Майорке с Даниилом Аркадьевичем. Конечно, дом у отца — супер! И жена славная, но все равно они чужие... Первый раз я без родных уехала... Но зато точно поняла — учиться тут я не буду! Не могу я без своих... А как там они без меня? На дачу особо не позвонишь, слышно плохо, да и неохота чужие бабки тратить... Она решила послать Таське письмо по электронной почте. «*Таська, привет! Завтра с Энни летим в Сан-Франциско. А Голливуд хваленый такая срань! Другого слова не подберу... Ходили с отцом на студию Юниверсэл, смотрели всякие киношные чудеса, ничего, прикольно, но для сопливых. Потом с Энни по Родео-драйв прогулялись. Тоска! Чистенько, красивенько, ни души кругом, в бутиках никого, цены — жуть, словом, тоска. Правда, потом поехали в какую-то Плазу, забыла название, там клево... У нас это называется Торговый центр. Целый городок, с кафешками, магазинами, киношками, обедали в китайском ресторане, ничего, довольно вкусно, но с Эличкиной стряпней не сравнить. В Сан-Франци-*

ско пробудем три дня, остановимся в отеле и будем гонять по окрестностям. Папашка все твердит, что две недели для Америки смешной срок и что на Рождественские каникулы я должна прилететь к нему опять, но уже в Нью-Йорк. В принципе можно, обещает сводить на Бродвей и вообще... Обещает много. Он ничего, только меня побаивается, смех да и только. Ох, надо уже спать. Завтра рано подниматься. Пока».

Наверно, больше всех я скучаю по Нуце, подумала Тошка. Я привыкла с ней обсуждать все важное, все впечатления... И вдруг странная мысль поразила ее. В дневниках деда ей не встретилось ни одного упоминания о Нуцико! Ни одного! И что же это значит? Только одно: таинственная Н. — это и есть Нуцико! Ни фига себе! Родная сестра бабушки... Обалдеть можно! Н. жила в Тбилиси, не давала деду спуску... Буря чувств! Но, похоже, никто ничего не знал и не знает. Ну конечно, я же недавно спрашивала ее, почему она замуж не вышла... А она сказала, что у нее была какая-то безумная любовь, но тот человек не мог на ней жениться... Ясное дело, не мог дед бросить жену и жениться на ее родной сестре. Да и сама Нуцико на такое никогда бы не пошла. С ума сойти, какие бездны открываются... И ведь если бы дед не вел дневник или по крайней мере сжег бы его, никто и никогда ничего не узнал бы. Но если я догадалась, то и другие догадаются как нечего делать. А это нельзя... И маме не нужно этого знать, совсем не нужно... Вдруг она станет хуже относиться к Нуцико? А Нуцико ведь уже старая. И вот почему она, уехав из Тбилиси, сначала подалась во Францию... Чтобы не жить с дедом под одной крышей... А когда вернулась, дед уже практически жил отдельно, то есть в основном за границей... Вернусь, обязательно спрошу Нуцико... Интересно, что она скажет? Или не надо припирать ее к стенке? Конечно, не надо! Еще умрет, чего доброго... Нет, я люблю ее и ничего ей не скажу... И никому не скажу... А дневники эти чертовы сожгу. И пусть мне влетит, а влетит мне так, как никогда еще не влетало, но я стерплю. Не надо, не надо копаться в семейных тайнах. Любопытство сгубило кошку. Нет, любопытство сгубило Тошку! А дед ведь испортил жизнь Нуцико... и хоть бы хны. Всякие там буквы у него не переводились. То О., то М., то А... А бедная Н. терпела все это. Что-то дедушка нравится мне все меньше и меньше... А это, наверное, нехорошо. Никогда не буду вести дневников. Зачем, зачем он это делал? Или на старости лет ему в кайф было их перечитывать и вспоминать весь свой кобелиный алфавит? Или, как это еще называется, «донжуанский список». Фу, противно. Решено, я сожгу на фиг эти записи, ничего там ценного нет, одно только самокопание, комплексы и блядство. В огонь! В огонь! В огонь! Это будет во-истину очищающий огонь! Мама там что-то насчет биографов говорила, нельзя чужих людей к этому даже близко подпускать... Ни в коем случае!

Марго наслаждалась жизнью. Первые двое су-ток они с Даней только купались, ели и спали. Но на третий день, когда она утром вышла из ванной, Даня, еще валявшийся в постели, воскликнул:

— Маргоша, у тебя сегодня уже совсем другой вид.

— Мне тоже так показалось. Я и чувствую себя совсем по-другому.

— А тебе не жарко в махровом халате? Быстро снимай его и иди ко мне.

— Данька! — засмеялась Марго.

— Я уж сорок три года Данька, иди ко мне! Я мечтаю выполнить свои супружеские обязанности.

— Ах обязанности?

— Марго, ты такая красивая и так загорела... Не мучай меня. И разве плохо начать день с любви?

Марго засмеялась особенным смехом, всегда сводившим его с ума, и скинула халат.

Все свои мобильники Марго отключила. Род-ным и Татьяне в случае чего велено было звонить на один из двух Даниных. По крайней мере никаких дурацких эсэмэсок, и никакого Вольника. Я вне зоны досягаемости, мне хорошо, мне так хорошо тут у теплого синего моря с моим мужем. А Вольник... Наверное взбесился, не застав меня... Ну и Бог с ним. Он тогда здорово мне помог, но я ведь с ним расплатилась... Она вспоминала о нем уже без дрожи. Я же Даньку люблю, он близкий, родной, понятный, с ним хорошо, и в сексуальном смысле тоже. Да, секс с Вольником меня потряс, но это было в экстремальной ситуации... Надеюсь, мое отсутствие и телефонная недоступность достаточно красноречиво дадут ему понять, что между нами все кончено. Я люблю Даньку, и вся семья моя его любит, а это так важно...

— Да, Марго, после Эличкиных завтраков эта европейская шамовка как-то не хиляет... А сосиски просто гнусные. Помнишь шутку брежневских времен: что на языке Леонида Ильича значило «сосиски сраные»?

— Социалистические страны. Разве такое забудешь?

— Ты поняла, что здешние сосиски есть не следует?

— А я и не собиралась. Тут и без сосисок с голоду не умрешь.

— Если не заниматься сексом, то да, а так... Причем не сексом вообще, а сексом с тобой...

— Данька, не хулигань!

— Маргоша, ты покраснела, какая прелесть!

— Данька, что там с твоей рыбалкой?

— Господи, ты уже рвешься в магазины? А пляж?

— Пляж это святое, но я долго торчать там не люблю.

— А я люблю! Ты иди себе, солнцем палимая, а я поваляюсь с книжечкой в тенечке, мне сегодня что-то лень затеваться с рыбалкой. Возьми второй мобильник, чтобы быть на связи, и ступай.

— Еще не сейчас! Сначала купаться!

Марго обожала море. В детстве ее частенько вывозили в Кобулети, и Гия учил ее плавать. Она мгновенно научилась, совершенно не боялась и вместе с Гией заплывала достаточно далеко, к ужасу мамы, которая боялась воды и плавать совсем не умела. А папа, конечно же, гордился дочкой. Еще бы, в неполных шесть лет она плавает чуть ли не наравне со взрослыми. Правда, одна она далеко заплывать не решалась, боялась дельфинов, чьи гладкие черные спины иногда появлялись над водой. И еще в Кобулети она помнила большие тарелки с жареной барабулькой, которую все почему-то ели руками, кроме папы. Он этого не признавал. Ему барабульку всегда подавали с картошкой, а остальные ели ее руками с соусом сацибели и белым хлебом. Отец всегда смеялся над ними:

— На кого вы похожи? Дикари!

— Папочка, но так вкуснее! — убеждала его Марго.

На пляже вокруг Гии всегда вертелись женщины. Он был красив как бог! И все они пытались найти путь к его сердцу через Марго. Таскали ей конфеты, фрукты и даже игрушки. Папа смеялся и, кажется, немного завидовал юному красавцу.

— Гия, этот дамский ажиотаж до добра не доведет! Будь осторожнее, парень!

— Дядя Сандрик, зависть нехорошее чувство! — хохотал Гия.

По вечерам взрослые частенько играли в карты, а если иной раз приезжали гости, тогда накрывали стол в саду, увитом виноградом, и не декоративным, а настоящим, спелые кисти которого, как ни странно, никто не трогал. За столом произносили обязательные тосты, пели грузинские песни, а потом вели серьезные разговоры, в которых Марго ничего не понимала и к тому же считала их нарушением правил. Разве можно за столом говорить о серьезных вещах? Особенно весело бывало, если приезжал Левка, тогда они с Гией устраивали какие-то игры, даже спектакли ставили с привлечением самых хорошеньких девушек с пляжа, и всегда в этих спектаклях находилась роль для Марго. Мама шила какие-то смешные костюмы из старья, шила на живую нитку, чтобы перешить к следующему спектаклю, даже Сережа снисходил до них,

хотя обычно предпочитал держаться особняком...
Господи, сколько же людей ушло с той поры... Остались только Левка, Нуца с Эличкой и я... Мне необходимо это чувство большой семьи... С приездом Али и Таси и с водворением у нас Даньки это ощущение вернулось. А, наверное, хорошо было бы, если бы у Али и Левки что-то сложилось, может, он ушел бы от своей Кочерги, и тогда семья была бы такой, как до́лжно...

— Солнышко, о чем задумалась?

— Да нет, так... воспоминания детства... Сейчас доплыву до буйков и пойду.

— Мальбрук в поход собрался?

Марго шла вдоль моря и чувствовала себя совершенно счастливой. Да, отдыхать лучше всего на острове. Иллюзия отделенности от большого мира как-то успокаивает. Обойдя много магазинов, она зашла в кафе, выпила любимый кофе-латте и съела кусок дивного торта — шоколадного с мороженым. И решила, что это безобразие надо отработать — пойти в гостиницу пешком, тем более что началась сиеста и никакой транспорт, кроме такси, не ходил, но на набережной не было и такси, а сворачивать в сторону не хотелось. Попадались, правда, извозчичьи пролетки, но она решила идти пешком и шла, наслаждаясь каждым шагом. В пакетах лежали покупки, доставившие ей острое, ни с чем не сравнимое удовольствие, — подарки! Тошке и Таське она купила по испанскому платью — Таське черное с красными оборками, а Тошке, наоборот, красное с черными. Але модный темно-коричневый сарафан с зелеными клиньями и зелеными же бретельками, Татьяне роскошную юбку на резинке, — у нее скоро будет большой живот, и такая юбка окажется кстати. А себе Марго пока ничего не купила, зато Дане присмотрела роскошный кожаный жилет со множеством карманов и ремешочков. Он любил такие штуки, но она не была уверена в размере. Звонить и тащить его с пляжа в магазин она не хотела. Успеется.

Она услышала сзади шум мотора и оглянулась. Маленький красный «мерседес», здесь вообще на удивление маленькие машины.

Машина пролетела мимо и вдруг поехала задом, поравнялась с ней.

— Марго? — крикнул мужчина за рулем.

— Михеич? — ахнула она. — Ты что здесь делаешь?

— А ты? Куда путь держишь?

— В гостиницу.

— Садись, подвезу.

— Ты что, теперь тут бомбишь? Разорился, что ли?

— Не дождетесь! У меня тут вилла.

— А чего машина такая маленькая?

— Мне хватает.

— А охрана твоя где?

— В Караганде!

— Исчерпывающий ответ. Михеич, ты куда едешь? Мне прямо!

— Давай выпьем за встречу.

— А меня муж ждет.

— Подождет. Это их такая доля, мужей, ждать, особенно, если жена такая красавица. Выглядишь отпадно. Никогда тебя в шортах не видел. Тебе идет...

— Куда мы едем?

— Приехали уже. Пошли.

Кафе было хоть и в стороне от моря, но оказалось просто восхитительным, несколько столиков в чудном саду.

— Как ты относишься к сангрии?

— Обожаю!

— Тут подают лучшую сангрию во всем свете. Ты не голодна?

— Что ты! И потом мне еще предстоит обед с мужем.

— Где мужа-то кинула?

— На пляже, он магазины ненавидит.

— А как вообще твои дела, Маргаритка?

— Грех жаловаться, Михеич. Я всегда помню, как ты мне помог.

— Ладно тебе, мне это немного стоило. И вообще, мы с тобой в расчете. А как твоя дочка?

— Взрослая самостоятельная девица, сейчас в Америке.

— Как глупо, Маргаритка, ты играла в моей жизни важную роль, а я даже не знаком ни с кем из твоей семьи. Познакомь хоть с мужем.

— Зачем?

— Интересно, какой муж у такой бабы?

— Перебьешься. А впрочем... — Марго вдруг пришла в голову озорная мысль — заставить Даньку немножко поревновать.

— Познакомишь?

— Почему бы и нет.

— Тогда я приглашаю вас обоих на ужин к себе на виллу.

— Михеич, ты женился?

— С ума сошла? Зачем?

— Зачем вообще люди женятся?

— Понятия не имею!

— С тобой все ясно. Но ты здесь не один?

— Один, Маргаритка, один, вернее, у меня есть пес, два кота и штат прислуги. Иногда приглашаю какую-нибудь дамочку. Я уж не тот, Маргаритка, — улыбнулся он, — укатали сивку...

— Крутые горки? — недоверчиво засмеялась Марго.

— Крутые бабки, в смысле денежки. Тяжкая это ноша, я в какой-то момент вдруг понял — не могу больше, каюк мне скоро настанет, в Басманный суд неохота, олигархом у нас считаться опасно. Зачем тебе это надо, Михеич, задал я себе вопрос и сам себе ответил — ни на фиг! Продал, что смог, денег мне на три века хватит, молодые свои желания и потребности удовлетворил давным-давно, так что мне теперь париться? Власть меня совершенно не привлекает, азарт остыл, а дрожать все время за свою шкуру лень... Решил вот пожить в свое удовольствие, купил виллу в этом райском месте, квартирку в Париже и живу себе...

— И тебе не скучно?

— Пока еще нет. А через годик-другой вложусь в какое-нибудь тихое дело в тихой странешке, женюсь, детишек настрогаю, сад какой-никакой посажу и, считай, выполнил предназначение человека на земле.

— Я бы так не могла, наверное... Впрочем, мне такое и не светит.

— Почему? Бросай своего мужа, на тебе я женюсь хоть завтра, может, подзаряжусь твоей энергией и сам еще какой-нибудь фортель выкину...

— Спасибо, конечно, я польщена, но такая жизнь не для меня. И мужа я своего люблю, и семья у меня большая...

— Ладно, Маргаритка, не злись, это я так, сболтнул... Как сангрия?

— Правда, чудесная, сроду такой не пила. Спасибо.

— Знаешь, для такой красивой и деловой бабы ты слишком хорошо воспитана, тебе это не мешает?

— Да нет, тем более что недавно один человек научил меня бить посуду, когда совсем допечет! Помогает!

— Это кто же такой умный?

— Один мой клиент, может, слыхал, некий Юрий Вольник?

Марго сама не знала, почему у нее с языка сорвалось его имя.

— Как ты сказала? Вольник? Юрка? Знаю, а как же! Крутой мужик, рисковый, но удачливый, черт бы его взял! Но как он к тебе в клиенты угодил? Вроде не его масштаб.

— Случайно, от девки своей хотел избавиться, вот и решил, что я ее раскручу.

— Раскрутила?

— Да вроде... Красивая деваха и безмозглая, таких всегда подберут.

— А Юрка небось на тебя запал?

— Ерунда.

— Запал, я уверен. Ты ему под стать баба.

У Марго в сумке зазвонил телефон.

— Извини, Михеич. Алло, Даня?

— Маргоша, где ты гуляешь? Я уж тут оголодал. Купила что-нибудь?

— Да, подарки девчонкам, а тебе кожаный жилет присмотрела. Я тут знакомого встретила, скоро буду.

— Кого это? — насторожился Даниил Аркадьич.

Марго не стала отвечать на этот вопрос и отключила телефон.

— Михеич, подбрось до отеля.

— Не вопрос. Пошли. Кстати, муж обо мне знает?

— Нет. Надеюсь, ты будешь придерживаться официальной версии?

— Я похож на подонка, который закладывает своих баб?

— В общем-то нет.

Когда маленький красный «мерседес» подкатил к отелю, Даниил Аркадьич нервно курил на террасе. Ревнует, обрадовалась Марго, сама понимая, как это глупо.

— Даня, иди сюда, познакомься, Михей Михеевич Михеев, мы вместе учились в МГУ, а потом я у него в банке работала, а это мой муж Даниил Аркадьич Белоярцев.

— Очень приятно, — хором произнесли мужчины и обменялись рукопожатием.

— Даниил Аркадьич, повторяю уже для вас свое приглашение — вечером жду вас на ужин, обещаю всяческие местные деликатесы, но несколько адаптированные к российским вкусам.

— Спасибо, — вежливо отозвался Даниил Аркадьич и вопросительно глянул на жену.

— С удовольствием, Михеич, — кивнула Марго. — Как тебя найти?

— Я пришлю за вами машину без четверти восемь.

С этим он уехал.

— Что это за тип? — не слишком дружелюбно осведомился Даниил Аркадьич. — Я не ослышался, его действительно зовут Михей Михеевич Михеев?

— Действительно. Мы с ним вместе участвовали в художественной самодеятельности. А после дефолта я у него работала в банке. Он отошел от дел и теперь живет здесь постоянно.

— У тебя с ним что-то было?

— Ничего, кроме самодеятельности и работы. Впрочем, я всегда ему нравилась. А ты что, ревнуешь?

— Знаешь, какая ты тут красивая? Глазам больно. Естественно, мне кажется, что все это видят... и реагируют.

— Данька, ты ревнуешь, какая прелесть! Мне это приятно. Не все же мне тебя ревновать, — засмеялась Марго. — Ну, куда пойдем обедать?

— Я что-то не в восторге от местных ресторанов... Но есть охота, значит, пойдем куда-нибудь.

Они уже сидели за столиком, когда у Даниила Аркадьича зазвонил телефон.

— Алло, да, это я, но я сейчас в отпуске и не в Москве. А в чем дело? В принципе, конечно. А время не терпит до седьмого? Но я не смогу, это нереально. И вот что передайте: если им действительно нужен я, то они подождут четверо суток, а если вообще кто-то, то это не ко мне. Не я к вам просился, а вы мне предложили. И в соответствующее время я это предложение рассмотрю. Да, конечно, безусловно. Всего наилучшего.

— Даня, что? — встревожилась Марго. — Что тебе предлагают?

— Предлагают стать ведущим на телевидении. И я по этому поводу должен мчаться немедленно в Москву, очевидно, на крыльях любви к телевидению, другой транспортной возможности я не вижу.

— Дань, но ты-то этого хочешь?

— Понятия не имею. Все зависит от условий. В принципе это интересно, но подход уже изначально хамский — где бы ты ни был, срывайся и лети. А потом выяснится, что я не их формат, а отпуск пропал... Нет уж, вернусь, тогда поговорим, если нужда во мне не отпадет.

Марго понравилась позиция мужа. Он во всяких передрягах умеет сохранять достоинство. А это дорогого стоит.

— Ну, так кто этот Михеев? Олигарх?

— Нет, наверное... Просто уставший от бизнеса крупный бизнесмен, — и Марго пересказала мужу то, о чем ей поведал Михеев.

— Что ж, интересно взглянуть, как живут такие типы... Как ты думаешь, там кто-то еще будет?

— Вряд ли, по-моему, он хочет просто посидеть со своими...

— Ты ему, может, и своя...

— Данька, ты не дал мне договорить! Со своими соотечественниками и поговорить по-русски. И выпить, наверное. Он хороший мужик.

Матильда Пундик на дачу не приехала. Сказала, что ей нужно пройти курс каких-то процедур в институте курортологии. Но зато она нашла для Таськи преподавательницу музыки в соседнем поселке, которая займется с ней азами. Всего одна остановка на электричке, занятия ввиду запущенности случая через день по два часа. Аля сочла это вполне разумным шагом. Она побаивалась этой странной дамы. Нуцико тоже вздохнула с облегчением. Она все не решалась взяться за дневники Александра Афанасьевича. Ей попросту было страшно узнать о нем нечто неприглядное сверх того, что уже давно знала.

— Нуца, ты что это в облаках витаешь? — спросила как-то после обеда Эличка.

— Просто скучаю без Тошки.

— Я тоже скучаю без Тошки и без Марго... Тася чудная девочка, но она еще не такая близкая... Кстати, Нуца, она действительно нашла это колечко?

— А по-твоему, она его украла? — рассердилась Нуцико.

— Вах, Боже упаси, Нуца, что ты говоришь!

— Тогда в чем проблема, Элико?

— Может, ей кто-то его подарил? Взрослый какой-нибудь мужчина? Она что-то похорошела в последнее время, глаза такие мечтательные, знаешь, скромная провинциальная девочка, ей легко задурить голову...

— Элико, скажи, ты почему во всем видишь какие-то истории, в основном любовные? Сериалов насмотрелась? Да я вместе с Тасей шла по лесу, она заметила колечко, оно такое грязное было, видно, давно валялось... Одним словом, глупости это все! А что касается взрослого кавалера, то это тоже не катастрофа...

— Это всегда катастрофа! Вай мэ, Нуцико, что ты говоришь!

— Ай, ладно, — махнула рукой Нуцико, — хочешь во всем видеть катастрофу, на здоровье! Я пошла курить.

Нуцико пребывала в смятении с того момента, как Марго затолкала под ее кровать картонный ящик с дневниками. Я должна это сделать, я обещала Марго, просто смешно... но мне жутко, нет, я не буду это читать. Марго приедет, я скажу — не могу... А ведь это такой пустяк, такая ерундовая просьба... А я... старая дура... Чего я боюсь? Узнать, что он был далек от совершенства? Как будто я этого и так не знаю... Нет, я должна хотя бы попытаться. Взять в руки хоть одну, первую попавшуюся тетрадку, раскрыть ее просто наугад... Да, Саша был легкомысленный человек, но он еще и великий композитор, попавший в тиски жестокой и несуразной власти, вот и жил как мог... И если я это заранее знаю, то чего боюсь? Что в этих дневниках он пишет о том, что убивал и насиловал младенцев? Глупости. Просто я боюсь прочитать что-то неприятное о себе... Я уверена, что он много неприятного писал обо мне, у нас были такие трудные отношения...

Нуцико потушила сигарету, бросила окурок в маленькую металлическую урну, стоявшую возле лавки, и пошла к себе. Заперла дверь, чего практически никогда не делала, и вытащила из-под кровати ящик.

Первая тетрадка была датирована пятьдесят девятым годом.

«*Странно, казалось бы, я абсолютно русский человек, но алкоголь не приносит облегчения... Сколько раз я пытался, подобно многим коллегам, топить свои беды в алкоголе, но нет ни* забвения, ни облегчения, наоборот, все только обостряется... Грузинское винное питие приносит радость, но лишь на считанные минуты. . И к тому же когда рядом Н. Впрочем, рядом с ней и вина не надо, достаточно услышать ее голос, увидеть ее насмешливую улыбку — и я готов забыть обо всем. Удивительно, она самая некрасивая из сестер... Буря чувств! Я знаю, это великий грех, но что же делать... И так чудовищно редко удается остаться наедине, не скрывать своих чувств... Впрочем, она их скрывает почти всегда, даже когда мы вдвоем. Поспешишь — людей насмешишь, как это верно... Я поспешил... Если бы тогда, когда я впервые увидел ее, совсем юную, я не был бы уже женат на Этери и не родился бы Левка... Никогда не забуду, как она вдруг возникла на пороге — тоненькая, высокая, в пышной шуршащей юбке, совсем не похожая на красавиц-сестер... У меня тогда сразу заболело сердце... Я понял — вот моя женщина... А она как будто почувствовала что-то, отвернулась и стала рассказывать о том, что творится в Ленинградском университете, как оттуда выгоняют евреев-преподавателей... Говорила, ничего не боясь, хотя видела меня впервые в жизни...»

Нуцико выронила тетрадь. Не могу! Да и не хочу! С ума он, что ли, сошел так откровенно писать... А если кто-то это прочтет? Столько десятилетий хранить тайну, чтобы любой взявший в руки тетрадь все понял? А если Этери прочла это? Может, потому и ушла так рано? Какой ужас, какой неизбывный кошмар и какое преступное легкомыслие! Легкомыслие на грани злодейства, того самого, которое якобы несовместно с гением... Как можно было не уничтожить эти дневники? Он распорядился всем своим имуществом, а дневники... Или ему хотелось, чтобы потомки оценили его донжуанские подвиги? Он не подумал, каково это будет читать Марго, Тошке, мне, наконец? Что станут обо мне думать и говорить? Чудовищно... Конечно, это эгоцентризм творца, но разве творец не должен быть элементарно порядочным человеком? А ведь принадлежит к тому поколению, мужчины которого еще не хвастались в открытую своими женщинами или по крайней мере не называли их имен. Сейчас это даже не считается непорядочностью... Но Саша... Дворянин... Воображаю, сколько там еще подобных записей, и, может быть, куда более откровенных... Нуцико наугад вытащила другую тетрадь и сразу увидела: «*Сцена была безобразная... Я повел себя не лучшим образом, наверное, надо было как-то иначе действовать, но у меня потемнело в глазах... Моя маленькая девочка, моя обожаемая Марго спит в объятиях мужика... Чудовищно! Мне кровь бросилась в го-*

лову, я себя не помнил от ярости... Выволок парня из постели, грязно ругался, орал... Парень тоже орал и ругался, в какой-то момент пихнул меня в кресло, я хотел опять броситься на него, но обессилел... Он потребовал, чтобы Марго сию минуту ушла с ним, но она, похоже, просто постеснялась встать при мне, на них, кажется, даже простыни не было, она сжалась в комочек, прикрылась руками... А этот наглец даже не отвернулся, натягивая штаны... Должен заметить, что у парня оказались выдающиеся мужские достоинства, даже завидно...»

О Господи, меня сейчас стошнит, — подумала Нуцико и отшвырнула тетрадь. Больше ни строчки не прочту. Надо сжечь к чертям эти дневники... Но как это сделать, чтобы никто не заметил? И я все-таки не имею права сжечь их без согласия Марго. Так вот, оказывается, что произошло у нее с Димой... Какая гадость, какая неделикатность и даже хамство со стороны Саши. Он испугался, что потеряет ее... Сломал ей жизнь, по сути, и Диме, похоже, заодно. Он вообще походя ломал жизни, словно мстя за свою поломанную жизнь или просто из соллепсизма? Он ведь и мне, когда я попыталась отойти в сторону, выйти замуж, устроил такое... Истерика, слезы, клятвы... Нет, я даже вспоминать это не хочу. Она взяла свой сотовый телефон, которым пользовалась нечасто, и набрала номер Дани.

Но тут же отключила телефон. Пусть девочка отдохнет, вырвалась всего-то на недельку, три дня уже прошло. Я дождусь ее и сумею убедить в том, что все это следует сжечь. Нуца решительно убрала дневники в коробку и ногой задвинула обратно под кровать.

— Тася, — позвала она, — пойдем погуляем!

— Иду! — обрадовалась Таська возможности поговорить о Воздвиженском. Она теперь все свободное время торчала в Интернете и многое знала о нем, в частности и то, что он женат. Этой ужасной новостью она как раз хотела поделиться с Нуцико, когда та позвала ее гулять.

Аля с Татьяной ехали на встречу с потенциальным клиентом, и вдруг позвонил Лев Александрович, впервые с того вечера, когда они ужинали в ресторане.

— Алечка, я соскучился, — прошептал он в трубку.

У нее по спине побежали мурашки.

— Я тоже, — еле слышно проговорила она под насмешливым взглядом Татьяны.

— Алечка, я думал, что смогу без тебя, я боролся с собой, но оказалось, это выше моих сил... Аля, что ты делаешь вечером? Или нет, лучше завтра... Завтра суббота, что, если я приеду к тебе утром, часов, допустим, в десять?

— В десять? Да, хорошо... Хотя я думала поехать на дачу...

— На дачу поедешь потом. В десять, Алечка.

— Да, хорошо, в десять... — едва слышно пролепетала она. — Господи, что же это делается...

— Свиданку назначил? — полюбопытствовала Татьяна.

— Ну да, почему-то на десять утра...

— Домой к тебе примчится?

— Да.

— Ну-ну.

— Танечка... Но почему с утра?

— Это-то как раз элементарно. С утра еще сил много. Да и мадам с утра спокойнее отпустит.

— Ой, Таня, я уж думала, он не позвонит...

— Так ты рада или нет?

— Сама не пойму... Я не знаю, я обещала Марго...

— Ну, это уж глупости! Вы взрослые люди, я бы даже сказала не первой молодости, при чем тут Марго? И Лева ей не муж, а старший брат. Ладно, не трясись. Лучше продумай все как следует. Подготовься, красоту наведи, завтрак приготовь отпадный...

— Тань...

— Ну что, горе мое?

— Тань, как мне его встретить?

— Поцелуем! Вы, кстати, с ним целовались хотя бы?

— Да... Но я не о том... Как думаешь, мне халат надеть или...

— Да чего там или, ясно же для чего он к тебе домой прется. Надевай халат.

— У меня нет такого... Лучше я джинсы надену...

— Еще чего, джинсы снимать колготно...

— Тань!

— Чего краснеешь, как девица? Вот что, на обратном пути завезу тебя в одно местечко, купишь там шелковый балахон, красивый и удобный. Для таких случаев идеально. Вроде бы ты и нарядная, а в то же время доступ к телу облегчен максимально. Я всегда такие надеваю в подобных случаях. Более того, я тебе его подарю, но за это ты мне потом все расскажешь!

— Тань!

— Да мне физиологические подробности неинтересны, но в целом...

— Ладно, в целом расскажу! — вдруг обрадовалась Аля. — Танечка, мне тебя Бог послал, а то когда не с кем поделиться...

— Да, это хреново, — кивнула Татьяна.

Даниил Аркадьич и Михеев неожиданно для Марго понравились друг другу и мгновенно нашли общий язык. Они сидели втроем у роскошно накрытого стола в саду, их обслуживал молчали-

вый и необыкновенно важный мужчина с седыми
усами. Все было вкусно, изысканно и, как казалось Марго, немного ненатурально, как в совет-
ском кино про заграничную жизнь. Вдруг раздался громкий веселый лай, и к столу подбежал
весьма странного вида пес — черный, лохматый,
с рыжей подпалиной на одном боку, с одной бе-
лой лапой.

— А вот и Бешбармак! — объявил хозяин.

— Почему Бешбармак? — фыркнул Даниил
Аркадьич.

— Не знаю, — ласково засмеялся Михеев. —
Я как его увидал щеночком, сразу сказал: «Это
что за бешбармак?» Так он Бешбармаком и остался. Нравится?

— Это порода какая-нибудь? — поинтересовал-
ся Даниил Аркадьич.

— Какая там порода! Разве не видишь — наме-
шано всего понемножку, но красавец!

Огромный пес тем временем обвел всю компанию внимательным взором, подошел к Марго и
положил голову ей на колени. Марго растаяла.

— Умный какой, а? Знает, кого выбрать, стер-
вец! Не бойся, Маргаритка!

— Я вообще собак не боюсь, — улыбнулась она
и погладила пса. — Михеич, можно его чем-то угостить?

— Нет.

— Марго, я давно хотел понять, почему у нас на даче нет собаки?

— Даня, а в городе что с ней делать? Кто будет с ней гулять?

— Я! Обещаю! Давай заведем такого Бешбармака, а? Я тоже люблю беспородное зверье...

— Вот если бы такое... — умиленно проговорила Марго.

— Какое? — полюбопытствовал Михеев.

— Что-нибудь такое же бешбармакское.

Разговор у мужчин зашел о местных развлечениях, и решено было завтра идти в море на яхте хозяина.

— Михеич, а у тебя случайно нет аквабайка? — спросила Марго, с завистью наблюдавшая с пляжа проносящиеся вдали снаряды.

— Есть, а что? Ты хочешь прокатиться на аквабайке?

— Мечтаю, но я не умею...

— Не проблема, я тебя завтра же научу.

— Это опасно! Не вздумай! — закричал Даниил Аркадьич.

— Опасно гонять невесть где и на бешеной скорости. А мы потихонечку, потихесеньку, дамочка под присмотром будет.

Мужчины заговорили о моторах, о каких-то сугубо мужских вещах, Марго вдруг стало клонить в сон, видимо, сказывался проведенный на солнце день, да и легкое, казалось бы, вино сделало свое дело. Михеев отвел ее в гостиную, уложил на диван, прикрыл пледом.

— Спи, Маргаритка! Бешбармак будет охранять твой сон.

— А что ж я ночью делать буду? — сонно пробормотала Марго.

— Думаю, твой муж сообразит.

Марго даже не обратила внимания на пошлость этого замечания. Закрыла глаза и провалилась в сон.

— Заснула сразу! — доложил Михеев Даниилу Аркадьичу.

— Слава Богу, пусть отсыпается, в последнее время она так устает, еле убедил ее на недельку вырваться отдохнуть.

— Молодец. А вообще, повезло тебе, Данила, просто выиграл в лотерею, Джек-пот сорвал, можно сказать.

— Я знаю, — очень серьезно ответил Даниил Аркадьич. — И, кроме самой Марго, у нее чудесная семья... Отец был необыкновенный, тетушки — чудо, дочка — умница редкая, брат золотой мужик...

— Вот с ее отцом я один раз встречался, остальных не знаю, а жаль. Значит, тебе втройне повезло. Ты ее береги, теперь такие не водятся.

— У вас с ней что-то было?

— Никогда! Мы просто друзья, — твердо ответил Михеев. Никому и никогда он не говорил об отношениях с Марго. У них был, что называется, тайный договор, оба выполнили его условия, так о чем тут говорить? О том, что он мучительно завидует этому Даниле, о том, что много раз в жизни сожалел о прошедшем? Зачем? И самому себе не стоит в этом признаваться.

Оставшиеся дни они почти не расставались с Михеевым. Рыбалка, поездки по дивному острову, обеды в деревенских кабачках, прогулки на яхте. Михеев научил Марго гонять на аквабайке, что доставляло ей невероятное удовольствие, а Даниила Аркадьича повергало в ужас.

— Да не трясись ты, — успокаивал его Михеев. — Я ограничил скорость, все в допустимых пределах. Хочется бабе адреналину, пусть. Ей кажется, что она гоняет на бешеной скорости, а на самом деле скорость средненькая, да и пустынно тут. В районе пляжей я бы ее к байку и не подпустил.

Марго и в самом деле казалось, что скорость бешеная, она возвращалась к мужчинам счастливая, с восторженно сверкающими глазами, возбужденная и молодая.

— Тебе сейчас больше двадцати пяти не дашь! — восклицал Михеев.

Марго чувствовала себя совершенно счастливой. В последний день мужчины отправились на рыбалку, а она отпросилась на прогулку по магазинам.

Накупив подарков, решила передохнуть. Зашла в большой универсальный магазин, оставила покупки в камере хранения и отправилась в кафе, которое заранее присмотрела. После мороженого и кофе она собиралась заняться своими шмотками. Оставляла это на сладкое. За соседним столиком сидела молоденькая женщина с грудным ребенком на руках. Коляска стояла рядом.

Я хочу ребенка, вдруг сказала себе Марго. Пока не поздно. Я счастлива сейчас, и я смогу еще... У ребенка будет чудный отец, под присмотром Элички любая няня будет образцовой, конечно, физически тетушки уже ребенка не потянут, но что касается воспитания... Татьяна уже вернется на фирму, а я смогу работать практически до родов, а потом... буду руководить из дома, я хочу хотя бы первые три месяца сама кормить. Данька захочет, я уверена, у него же нет детей, а он прекрасно умеет с ними общаться... Ей вдруг захотелось бежать в детский магазин, но она сама над собой посмеялась. Тошка уже большая, умная, ревности не будет... Я хочу... мальчика? Нет, еще одну девочку... Впрочем, меня ведь не спросят, радостно засмеялась она.

Тошка считала дни. Ей уже безумно хотелось домой, хотя казалось бы, что такое две недели в Калифорнии? Все было для нее новым, интересным. К ней все прекрасно относились, с радостью возили куда-то, показывали, рассказывали, даже, можно сказать, любили, но люди-то были чужие. Да, думала она в свободные минуты, видно, мне еще рано вылупляться. Я, как птенец, пробила скорлупу, выглянула наружу и захотела обратно... Мысль показалась ей интересной, надо обсудить ее с Нуцико, а можно и с Таськой... Больше всего ей не хватало именно этого — возможности обсудить все с близкими людьми. Их тут просто не было, близких. С отцом сблизиться не получалось. Энни была милая, но настолько ничего не знала о жизни России, что о чем тут говорить?

— Что тебе больше всего понравилось? — спросил ее отец за день до отъезда.

— Сан-Франциско, Кармель и Редвуд, — отчеканила Тошка. — Ну и океан тут, в Малибу. Да и вообще... Спасибо, папа.

— Зимой приедешь в Нью-Йорк?

— С удовольствием. Если получится.

— Но учиться тут ты не хочешь?

— Нет, папа. Если бы я хотела стать финансистом или адвокатом, может, и приехала бы сюда, а так...

— Энни мне сказала, что ты необыкновенно развита и у тебя наверняка очень высокий ай-кью.

— Не знаю, — улыбнулась Тошка. — Мне это по фигу.

— Что, мнение Энни? — насторожился отец.

— Да нет, уровень ай-кью. У нас в школе у одного парня этот самый уровень просто зашкаливает, но более скучного типа я не встречала. Ладно, папа, не парься, все супер! И в Нью-Йорк я прилечу, это интересно. А вы с Энни тоже приезжайте в Москву. Это не самый хилый город в мире. Там тоже есть что посмотреть. Ты не обижайся, но, по-моему, Энни думает, что в Москве по улицам медведи ходят.

Отец невесело усмехнулся.

— Не преувеличивай.

Посмотрел в глаза дочери и фыркнул. В этот момент расстояние между ними вдруг значительно сократилось. А он все-таки ничего, хоть чувство юмора есть. И Тошка тут же приняла решение: где-то, кажется на Старом Арбате, она видела живого медвежонка, с которым можно сфотографироваться. Обязательно снимусь с ним и пришлю фотку Энни, пусть порадуется, что так хорошо знает российские нравы.

Аля вскочила в шесть утра, обошла с вечера убранную квартиру, поменяла белье на кровати, подрезала кончики купленных вчера цветов... Столько денег потратила с легкой руки Татьяны... Та повезла ее покупать шелковый балахон, действительно удобная штука и красивая такая — на синем фоне белые и бледно-розовые хризантемы, и постельное белье купили с большими скидками в магазине фирмы, сотрудничающей с их агентством. Два комплекта — один розовый с зелеными ветками, второй синий с восточным орнаментом. Аля хотела купить синий с желтыми подсолнухами, но Татьяна сказала:

— С ума сошла? От этой яркости у него может вообще не встать.

— Почему? — опешила Аля.

— А он тебя среди подсолнухов не заметит.

— Да ну тебя, Танька!

— Слушай, что говорят более опытные товарищи.

Сейчас Аля постелила синее белье, розовое показалось ей вдруг излишне интимным, что ли. Это для другого раза, решила она. Если он, конечно, будет, этот другой раз. Она заикнулась было, что неплохо бы купить ночную рубашку, но Татьяна решительно заявила:

— Какая на фиг рубашка утром? С ума сошла? Ты бы еще ему пижамку купила!

Ах, как Тане хотелось рассказать Але про ночные рубашки Льва Александровича, но она пожа-

лела ее и промолчала. Это оставим на потом, решила Таня, когда у них все кончится. Аля тогда по-
смеется и, может, легче перенесет неизбежный в
этом случае разрыв.

— Да, и не вздумай печь пироги или жарить мясо!

— Почему?

— Не модно нынче! Салатик легонький, кофе,
фрукты, сыр. Ты его не кормить зовешь. И вообще, не прикармливай. Пусть он лучше тебя кормит. И обязательно купи цветов. Это главное.
Причем не экономь. Купи такой букет, какой
обычно женщины себе не покупают. О, у нас
есть и такие клиенты. Сейчас заедем, купим цветы. А если он приедет без цветов, не давай!

— Тань!

— Что, так охота ему дать?

— Тань, имей совесть!

— Только не рассчитывай, что там что-нибудь
особенное, так себе мужичок. Впрочем, может,
просто не мой размерчик. Аль, да я в переносном
смысле, извини ради бога, я просто ляпнула сдуру.

Все это Аля вспоминала со смехом и благодарностью. Таня и в самом деле здорово помогла ей
советами. Сердце у нее замирало от сладкого страха. Как все будет... Как здорово, что Таня подарила мне этот балахон, он вполне сойдет за домашнее
платье, он не похож на неглиже. Лев Александрович вряд ли сразу потянет ее в постель, они вы-

пьют кофе, поговорят... В половине десятого она была уже готова и безумно себе нравилась. От нетерпения то и дело выходила на балкон — смотреть, не подъехал ли. Интересно, он с водителем приедет? Вряд ли... Да и сегодня суббота... Ага, а вон его джип. Ой мамочки, как страшно! Он сам за рулем. Аля бросилась к зеркалу, чуть взбила волосы и замерла.

— Данька, спасибо, я так отдохнула!

— По тебе сразу видно. Совсем другая стала. Я рад. Хотя, если по-хорошему, надо бы еще недельку, ты слишком устала.

— Да нет, хватит, и по дому я соскучилась, скоро Тошка приедет... Я вчера до нее дозвонилась от Михеича, она рвется домой.

— Ей там не понравилось?

— Понравилось, но она же домашняя девочка, а там все чужие. По-моему, больше всего ей понравилась собака отца.

— Боюсь, что когда вы с ней начнете обмениваться впечатлениями, окажется, что главная достопримечательность Америки собака отца, а Майорки — Бешбармак!

— Не исключено, — счастливо засмеялась Марго.

Разговор происходил в самолете. Они сидели вдвоем. Третье кресло в ряду оказалось незанятым.

— Дань, а знаешь, что мне пришло в голову...

— Слушаю тебя внимательно.

— Дань, а может, нам родить ребенка, пока не поздно, а?

— Марго, ты беременна?

— Нет. Это пока на уровне идеи.

— Это, вероятно, самая лучшая идея, которая посетила тебя. Только, чур, это будет девочка!

— Странно, обычно мужики хотят мальчиков.

— Пусть будет мальчик, тоже неплохо!

У него так сияли глаза, что Марго подумала: да, нам просто необходим ребенок!

— Сейчас прилетим, и за дело, — шепнул он ей на ухо. — Нам уже нельзя время терять. Я люблю тебя, Маргоша!

— Я тоже тебя люблю и надеюсь больше не буду получать такие эсэмэски...

— Марго, но ты же видела, какая им цена...

— Ладно, я пошутила. Мне хорошо с тобой, Данька. В последнее время так хорошо, что даже немного страшно.

— Тетя Нуца, — начала Таська и запнулась.

— Ну, что такое? Что стряслось, девочка?

— Вы знаете, он... у него есть жена. Француженка. Очень красивая.

— Сведения из Интернета?

— Да, откуда же еще. И что мне делать, тетя Нуца?

— Ждать.

— Чего ждать? Что он разведется?

— А тебе непременно нужно замуж в пятнадцать лет?

— В шестнадцать, мне совсем скоро исполнится шестнадцать.

— Велика важность! А что касается жены... Он же не знал, что встретит тебя... Так бывает... Скажи мне честно, у вас что-то уже было?

— Нет, что вы, только целовались... Но это же не в счет, правда?

— Правда, — засмеялась Нуцико. — Послушай меня, детка. Ты должна сама для себя решить...

— Ой, я знаю, я должна решить, что для меня важнее, самой стать певицей или женой певца, потому что он может меня как жену скоро бросить, а если я буду уже певицей, то это не так страшно, да?

— Откуда такие зрелые мысли?

— От Тошки, — призналась Тася. — Я, тетя Нуца, вообще как-то думать ни о чем не могу, крышу снесло... Сижу в Интернете, а там про него столько всякого... Так неприятно...

— Главное, чтобы там о тебе ничего не было!

— Ой, это да. Но откуда ж там про меня что-то возьмется?

— Тасенька, девочка моя, брось ты это дурацкое занятие — собирать всемирные сплетни. Он тебе в любви признался, даже обручился с тобой, еще совсем соплячкой, так радуйся! Он звонил тебе?

— Да, два раза звонил, — порозовела Таська. — И каждый день эсэмэски шлет.

— Вот и радуйся! А Тошка целиком и полностью права. Так что радуйся еще и тому, что у тебя такая не по годам мудрая кузина-подружка. У тебя сейчас столько поводов для радости!

— Ой, правда, тетя Нуца! Но вы еще про один повод забыли!

— Про какой?

— А у меня еще теперь есть вы! И тетя Эличка! Вы думаете, он меня и вправду любит?

— Не знаю, девочка моя... Но думаю, любит... Он, вероятно, человек романтического склада, встретил такое прелестное создание, да еще с таким голосом, Фета, наверное, вспомнил...

— Почему Фета?

— А стихи у него есть об этом, он их написал, встретив такое вот юное и прелестное создание с дивным голосом, Татьяну Андреевну Берс, сестру Софьи Андреевны Толстой. Она пела и была, видимо, так же прелестна, как ты, и, кроме Фета, вдохновила еще и самого Льва Николаевича. Стала прообразом Наташи Ростовой. Такие девочки бывают. Ты, видно, из этой породы.

Тася не сводила с Нуцико восторженных глаз.

— А какие стихи Фета? Вы их не помните?

— Помню, я столько стихов помню... Кажется, есть и романс на эти стихи, только забыла чей.

Сияла ночь. Луной был полон сад. Лежали
Лучи у наших ног в гостиной без огней.
Рояль был весь раскрыт, и струны в нем дрожали,
Как и сердца у нас за песнею твоей.

Ты пела до зари, в слезах изнемогая,
Что ты одна — любовь, что нет любви иной,
И так хотелось жить, чтоб, звука не роняя,
Тебя любить, обнять и плакать над тобой.

Ну вот, примерно так, а дальше там говорится о том, что много лет прошло, томительных и скучных, но это еще не твоя история.

В этот момент в кармане у Таськи запищал мобильник.

— Эсэмэска! Извините, тетя Нуца! — она глянула на дисплей.

«Как ты? Чем занимаешься сейчас, в эту минуту?»

— Ответь, что читаешь стихи!

— Вы думаете?

— Да!

Таська мгновенно набрала ответ.

Тут же пришло еще сообщение, состоявшее из одного слова «Какие?»

Таська испуганно взглянула на Нуцико.

— Пиши! — распорядилась та. —

Расстались мы, ты странствуешь далече,

Но нам дано опять

В таинственной и ежечасной встрече

Друг друга поминать.

— Ух ты! Кайф! А чьи это стихи?

— Тоже Фета. Отправила?

— Да!

— Думаю, он сейчас спросит, чьи стихи.

Однако ответ пришел неожиданный: «Ты тоже любишь Фета? Какое счастье! Ты мое счастье!!!»

— Тетя Нуца, вы... Вы просто чудо! А я вас сначала боялась. Можно я вас поцелую?

— Ну разумеется!

Таська послала в ответ еще несколько слов в прозе и, безмерно счастливая, спрятала мобильник в карман.

— Это все, конечно, хорошо, но ведь тебе придется теперь читать стихи, и много. Нельзя ограничиваться Фетом, он хороший поэт, но все-таки не самый лучший.

— А вы мне дадите, что надо читать?

— Надо — всё! Но поскольку это нереально пока, мы с тобой будем играть в такую игру. Я дам тебе книги разных поэтов, и ты отметишь в них те стихи, что тебе особенно на душу лягут. Потом поговорим, я пойму, к чему ты тянешься, и тогда уже займемся подробно тем или иным поэтом. Главное же пока — полюбить стихи вообще.

— Тетя Нуца, а с Тошкой вы тоже так...

— С Тошкой немного другая история, она сама брала книги и выбирала что-то для себя лет с восьми. У нее выраженные литературные способности. И вообще, она умная, иной раз мне кажется, даже слишком, это не принесет ей счастья. Не уверена, что она сможет безоглядно влюбиться.

— А разве это хорошо — безоглядно?

— Думаю, иногда это не так уж плохо.

— А вы? Вы влюблялись безоглядно?

— В том-то и беда, что безоглядно у меня не получалось.

— И у вас не было большой любви?

— Была. Очень большая, но, увы, не безоглядная, — грустно улыбнулась Нуцико.

— Тетя Нуцико, расскажите! — взмолилась Таська.

— Да нет, как-нибудь в другой раз. Скажи-ка мне лучше, тебе понравилась учительница музыки?

— По чесноку?

— Что? — вытаращила глаза Нуцико.

— То есть честно?

— По чесноку? Давай по чесноку!

— Она зануда. Но говорит, что у меня выдающиеся музыкальные способности, что я все хватаю на лету, но это не очень хорошо, потому что у меня не выработается усидчивость с такими способностями.

— Ничего, это прекрасно, моя девочка. Уж на что я не люблю вашу Пундю, но в ее руках ты и без усидчивости всего добьешься. Это она умеет. Идем, я дам тебе несколько книг.

— А Фета у вас нет?

— Есть, конечно. Я забыла, что на сегодня у нас главный Афанасий Афанасьевич.

— Алька? Ты одна? — осторожно спросила Таня, у которой не хватило терпения дождаться звонка подопечной.

— Да... Танечка, как хорошо, что ты позвонила!

— Он что, не пришел?

— Пришел.

— Трахнулись?

— Ну да... — как-то неуверенно ответила Аля.

— А что у тебя с голосом?

— Да нет, с голосом все в порядке. Просто... в нем звучит недоумение, — фыркнула Аля.

— Слушай, хватай такси и вали ко мне. Я умираю от любопытства и чувствую, тебе есть что рассказать. Нечего сидеть одной, если после свиданки осталось только недоумение.

— Еду! — воскликнула Аля.

— Ну, рассказывай!

— Да ты понимаешь, даже как-то и рассказывать нечего.

— То есть?

— Понимаешь, я с утра стояла на ушах, все убрала, приготовила легкий завтрак, как ты велела, навела красоту...

— Ну и?

— Он позвонил в домофон, я побежала к лифту, он выходит...

— С цветами?

— Нет! Но не в том дело. Я смотрю, а у него уже глаза на лбу, он меня прямо на площадке обнимает, в квартиру тащит, ничего не говоря, начинает раздеваться...

— И сразу в койку?

— Ну да, а я так не могу... Пытаюсь ему хоть что-то объяснить, но где там.

— Короче, он свою нужду справил, а ты на бобах осталась?

— Именно.

— А потом?

— А что потом? Ну мило поговорили, я притворилась, что все прекрасно, а потом он посмотрел на часы, ахнул и умчался.

— Идиот! Ты в другой раз его сразу предупреди, чтобы виагру заранее не пил.

— Виагру? — ахнула Аля.

— Конечно, а ты думала? Мужик в его возрасте приходит к новой женщине и с порога в койку? Просто он виагру выпил еще дома или по дороге, а к тебе уже готовенький приехал, и медлить нельзя было.

— Да? А я вообще ничего не поняла... Просто никогда с этим не сталкивалась... Сережа, при всех своих недостатках, был хорошим любовником, да и Виктор тоже, а больше у меня никого не было... — растерянно говорила Аля.

— Это решаемо. Но в принципе он тебе понравился?

— Ну да, он мне приятен, я к нему даже испытываю нежность, он какой-то родной, что ли, но...

— А ты ему прямо скажи!

— Не смогу. И потом я не уверена, что он еще захочет... Он же понял, что я-то его не сильно хотела...

— Так реши — ты хочешь его в принципе?

— Да, но не с налету!

— Так и скажи! Он обязательно тебе еще позвонит, хочет не хочет, а просто исчезнуть с твоего горизонта у него не получится, как-никак семья. Ты ему так прямо и скажи: Левочка, все чудесно, но мне нужно время. Всего-то и делов.

— Думаешь, он поймет?

— Пока не выпил виагру, поймет. А там уж главное момент не упустить.

— Ой, Танечка, как хорошо, что ты мне все объяснила! Но послушай, говорят, виагру вредно пить...

— Злоупотреблять ею вредно и без врача начинать не следует.

— Тань, а ты откуда все это знаешь?

— По собственному опыту.

— Понимаешь, — задумчиво проговорила Аля, — вот если бы он просто пришел, мы бы поговорили, позавтракали, посидели рядышком и, даже если бы ничего не было или у него ничего бы не получилось, я бы, наверное, куда лучше себя чувствовала... Я бы его жалела... А так — одно недоумение.

— И слава богу, радуйся. Ты не влипла в какую-то бешеную любовь.

— Да не сказала бы... Я, кажется, его все-таки люблю.

— Еще два таких рандеву — и разлюбишь как миленькая.

— Может быть...

— Маргоша, ты чудесно выглядишь! — воскликнула Эличка при виде племянницы. — Отдохнула?

— Давно так не отдыхала, но все равно дома лучше. Данька, что бы там ни ел, все равно говорил со вздохом: да, вкусно, но у Елены Вахтанговны лучше. Ну, что тут у вас?

— Да у нас все нормально, неделя всего прошла, это когда уезжаешь, кажется, что все должно поменяться, а когда с места не трогаешься, эту неделю и не замечаешь.

— Как Тася?

— Золотая девочка. Занимается музыкой, читает, Нуцико с ней беседы ведет. Но без Тошки все равно тоскливо, и вообще я люблю, когда все в сборе.

— Эличка, я хочу спросить тебя...

— Спрашивай, детка, что-то случилось? Ой, ты беременна?

— Нет, пока нет, просто я думаю...

— Господи, о чем тут думать? У тебя уже такой возраст, что надо спешить, и сейчас, по-моему, самый подходящий момент, а я все, что смогу...

— Нет, я возьму няню, физически она будет всем заниматься.

— Где ты найдешь надежную няню? Я тут видела по телевизору такие ужасы про этих нянек... Нет, пока я еще справлюсь, а вот дом вести уже тогда не получится, домработницу придется взять. Ты правда еще не беременна?

— Правда, да я не уверена, что получится... Просто засела такая мысль...

— А ты с Даней-то поделилась?

— Конечно. Он в восторге.

— Ты обязательно сходи к доктору, небось давно не была.

— Схожу, — улыбнулась Марго. — А где же Нуца?

— Они с Тасей ушли в лес.

— А что Аля?

— Алечка должна с минуты на минуту приехать. У них с Таней такая дружба, все время перезваниваются, что-то решают... Она совсем другая стала...

— А Лева не появлялся?

— Здесь нет, а в Москве я не знаю... О, смотри, кто-то приехал.

Действительно, у ворот остановилась машина. Оттуда вылез молодой человек, подошел к калитке и крикнул:

— Это дом Горчаковых?

— Да! — крикнула в ответ Марго и пошла к калитке. — А кто вам нужен?

— Маргарита Александровна.

— Это я. А в чем дело?

— Вам посылочка.

Он полез в машину и вытащил корзину с крышкой, к которой был пришпилен большой конверт.

— Вот, держите ваш подарок!

— От кого это? — недоуменно спросила Марго.

— От господина Михеева.

И молодой человек передал Марго корзину.

— В конверте документы.

— Документы? Ничего не понимаю.

Лицо молодого человека расплылось.

— Да вы откройте корзинку-то.

Марго открыла крышку и завизжала от восторга. Там лежал щенок, точная копия Бешбармака. А на конверте было написано — Бешбармак Второй.

Марго вытащила щенка. Ему было от силы месяца два, толстые лапы, крупная мохнатая башка, черный мокрый нос...

— Что прикажете передать господину Михееву?

— Спасибо, огромное, огромнейшее спасибо! Даня! Даня! Смотри, кто у нас появился!

— Тут все написано, как за ним ухаживать, он, конечно, беспородный, но все прививки, какие в этом возрасте полагаются, сделаны, а наблюдать его будет доктор Шелест, Алла Геннадьевна, все телефоны здесь, — втолковывал молодой человек ополоумевшей от счастья Марго.

— Что такое? — подоспел Даниил Аркадьич.

— Данька, смотри!

— Бешбармак! — воскликнул Даниил Аркадьич, — вылитый Бешбармак! Дай мне! Это мальчик?

— Да, Бешбармак Второй! Ох, Михеич, молодец какой...

Молодой человек, увидев, что щенок попал в надежные руки, простился и уехал.

Тут как раз вернулись с прогулки Нуцико и Таська.

— Ой, кто это, тетя Марго? — завопила Таська.

— Не кричи так, напугаешь!

— Марго, ты привезла его с Майорки?

— Мне его доставили с Майорки, — целуя тетушку, уточнила Марго. — Хорош, а?

— Только не надо его так тискать, — покачала головой Нуцико, хотя ей самой нестерпимо хотелось взять на руки это чудо. — Значит, так, жить он будет у меня в комнате, я буду за ним ухаживать. А то я вас знаю, станете таскать его по всему дому, Элико будет ворчать, что это негигиенично, нести всякие мед.глупости, а я умею воспитывать животных. Помнишь Марлона, какой воспитанный кот был?

И Нуцико очень властно отобрала щенка у Даниила Аркадьича, посадила в корзинку и пошла к дому.

— Вот тебе и раз, — протянул разочарованный Даниил Аркадьич.

— Но вообще Нуца права, — улыбнулась Марго. — Зачем раздражать Эличку? Щенок пока будет под надежным присмотром, а потом все привыкнут и он подрастет...

Таська помчалась вслед за Нуцей.

— Тошка будет в восторге, ох, как я по ней соскучилась, еще два дня ждать...

— Марго, — Даниил Аркадьич нежно обнял жену, — я знаешь что придумал? Если будет девочка, назовем ее Вероникой, Никой, тогда у нас будут две Победы, Виктория и Ника, а если мальчик, то...

— Бешбармак Третий!

— Да ну тебя, я серьезно...

— Даня, еще рано это обсуждать, еще даже нечего обсуждать, понимаешь? — решительно заявила Марго.

— Кто знает? А вдруг уже есть?

Лев Александрович пребывал в некотором смущении. Кажется, я облажался, не учел ее провинциальную стеснительность, зажатость. С ней надо иначе... А может, ну ее к черту, а? Зачем мне такая мымра, которую надо еще раскочегаривать? Но ведь теперь я в ее глазах буду выглядеть глупо. Наверняка она все поняла. Ах, я идиот. Но она красивая, тело чудное, и нежная... Нет, хочешь не хочешь, надо реабилитироваться. Если вторая попытка успехом не увенчается, тогда завязываю, а сейчас — ноблесс оближ. Позвонить ей, пожурчать, сказать, что первый блин комом... Да, на таких обезоруживающая откровенность действует, хотя откуда я знаю, у меня таких как раз и не было. Странно, у меня не было ни одной вдовушки, надо же, оказывается, и с моим богатым опытом могут еще быть открытия. Забавно. Нет, в ней все-таки есть потенциал, она еще может оказаться такой горячей штучкой...

— Алло, Алечка, дорогая моя, — зашептал он в трубку.

— Лев Александрович, вы?

— Дорогая моя, понимаю, мне нет прощения, я повел себя как глупый бизон... Знаешь, если еще когда-нибудь я поведу себя подобным образом, ты мне просто шепни: «Глупый бизон», — и я сразу же исправлюсь. Алечка, любимая, но ведь повинную голову меч не сечет, что ж ты молчишь?

— А что тут скажешь? — засмеялась вдруг она. — Все правильно, глупый бизон.

— Но мы в ближайшие дни исправим ситуацию, да?

— Можно попробовать, — как-то излишне свободно, как ему показалось, отозвалась она.

Кажется, мы ее теряем, прозвучала у него в мозгу дурацкая фраза из американских сериалов. Значит, надо попробовать сыграть по ее правилам. Никуда эта вдовушка от меня не денется. Надо только чуть отступить от собственного стереотипа. Кстати, это может оказаться интересным.

— Даня, пожалуйста, залезьте на чердак, если я не ошибаюсь, там должен быть где-то еще Тошкин манеж.

— Нуца Вахтанговна, зачем вам манеж?

— Не мне, а Бешбармаку! Ему нужно дышать свежим воздухом, а на травку такого малыша пускать нехорошо.

— Что-то я не видел там манежа... Марго, Марго, ты не помнишь, сохранился у вас Тошкин манеж?

— Манеж? С ума сошел, зачем тебе манеж?

— Нуцико требует манеж для Бешбармака. Кстати, хорошее название для детектива: «Манеж для Бешбармака»!

— Да я сто лет назад отдала его кому-то.

— Придется купить. Может, когда Бешбармак подрастет, манежик и для нашего ребятенка сгодится.

— Только не говори этого Эличке, даже в шутку, она не переживет.

Марго чувствовала себя такой счастливой, что в который уж раз подумала — ой, мне страшно! И конечно, первая мысль была — только бы Тошка благополучно долетела!

Тошка долетела! Когда Марго увидела ее, то поразилась, неужто можно так измениться и повзрослеть за две недели? Уезжала девочка, а вернулась девушка, красивая, стройная, какая-то независимая. Это пронеслось в голове Марго в одну секунду, в следующую Тошка уже обнимала ее.

— Мамочка, мамулечка, как я соскучилась! Ой, как хорошо дома! А Таська не приехала?

— Нет, у нее урок музыки, перенести не удалось. Ничего, к нашему приезду она уже вернется.

— Ты одна? Ой, мам, ты так загорела, тебе идет.

— Долетела нормально?

— Если не считать, что рядом сидел папаша с грудным младенчиком, который всю дорогу орал как резаный, все нормально. Никогда не буду рожать.

— Дуреха ты! Не все дети орут, ты вот, например, почти не орала.

— Ну, об этом надо спросить Эличку.

Как странно, подумала Марго, что она заговорила об этом именно сейчас, когда я мечтаю о ребенке...

Они выкатили тележку с вещами на стоянку, и тут к ним бросился Володя.

— Маргарита Александровна, давайте вещи! Ой, Тоша, ты совсем американка стала!

— Дядя Володя, здравствуйте. А вот этот пакет для вашего сына. Из Америки!

— Тоша, мне даже неудобно... А что там?

— Машина, трейлер с прибамбасами.

— Обалдеть! Вот он порадуется. Но это ж дорого, небось?

— Нормально!

— Куда едем, на дачу?

— Ой, пожалуйста, давайте домой заедем, — взмолилась Тошка, — я душ принять хочу, а то на даче сразу все набегут, а я такая несвежая...

— Сколько времени тебе понадобится? — спросила Марго.

— Полчасика, мама, а что?

— Давай завезем тебя домой, а я пока сгоняю в одно место, от силы минут на двадцать, и за тобой заеду.

— Годится.

Приняв душ, Тошка сразу направилась в кабинет деда и обнаружила, что одна коробка с дневниками исчезла. Тошка похолодела. Что же это значит? Куда она девалась? К тому же исчезла как раз та коробка, до которой у нее еще не дошли руки. Взять коробку могла только мама... Тошка заглянула в комнату Марго. Ничего. Интересное кино!

На даче, как она и предполагала, все семейство высыпало ей навстречу, кроме Даниила Аркадьича, который был на работе.

— Ой, Тошка, как я рада, — верещала Таська.

— Ой, кто это? — завопила Тошка, увидав манеж. Схватила щенка. — Какой сладкий! Кто это?

— Бешбармак Второй! — с гордостью объявила Таська.

— Ой, какой хорошенький, он какой-то породы?

— Да нет, дворняжка.

— Откуда он?

— Мне подарили! — с гордостью объявила Марго.

Вся семья уже души не чаяла в щенке, даже Эличка, что для всех оказалось полной неожиданностью.

— Но он же не борзой, — засмеялась Тошка. — Или теперь взятки дают не борзыми щенками, а дворняжками?

Сердце Марго опять переполнилось гордостью за дочку. Нынешние девчонки редко бывают начитанными. Спасибо Нуцико.

— А кстати, что такое Бешбармак?

— Какое-то среднеазиатское блюдо, кажется, — пожала плечами Марго.

— Никогда не слышала этого слова, — задумчиво проговорила Тошка, — но если бы меня спросили, как выглядит пес по кличке Бешбармак, я бы именно такого себе представила — черного с пятнами, лохматого и чтобы одно ухо стояло, а другое висело.

Наконец Таське удалось увести Тошку наверх, в их комнату.

— Ну, — спросила Тошка.

— Нет слов, — ответила Таська и зарделась.

— Звонит?

— Ага! И эсэмэски шлет...

Тут Тошка заметила стопку книжек на ночном столике.

— О, в стихи ударилась? Сама или с подачи Нуцы?

— С подачи...

Таська рассказала Тошке о разговоре с Нуцико.

— И теперь мы с ним иногда так играем, он мне присылает какую-нибудь строчку, а я ему следующую шлю... Ну, сначала, правда, я к Нуцико бегала, а вчера он мне прислал строчку Блока и я сама ответила! — с невероятной гордостью сообщила Таська.

— Да, в Нуцико пропал Песталоцци!

— Тошка, рассказывай!

— Что?

— Все! Ты ж в Америке была! В Голливуде!

— Ну, про Голливуд и рассказывать нечего, я ж тебе писала. Я ведь не вращалась в светских кругах Голливуда, а улица эта знаменитая со звездами — срань сранью.

— А хоть одну кинозвезду видела?

— Ага, видела, Тома Круза. Смотреть не на что.

— Ну ладно!

— Ей-богу, маленький, в оранжевой футболке, немолодой уже.

— Ну что-нибудь тебе там понравилось?

— Да мне многое понравилось! Природа, океан, луковые кольца...

— Какие кольца?

— Луковые. Надо Эличке сказать. Это крупная луковица режется кольцами и каждое колечко отдельно жарится в кляре. Вкуснотища!

— Тошка, ты можешь говорить серьезно?

— После такого перелета совершенно не могу говорить серьезно. Потом. А сейчас я тебе выдам неофициальный подарок, вот держи.

Тошка протянула Тасе три роскошно изданных диска Андрея Воздвиженского.

— Тошка! — завизжала Таська, бросаясь на шею кузине.

— А вот это уже официально!

— Что это?

— Очки. «Дженнифер Лопес». Примерь. Ой, попала, тебе идут!

— Тошка, спасибо, такое спасибо!

— На здоровье! Ну, что тут интересного было без меня?

— Когда тетя Марго уехала, на другой день к Нуце какой-то странный мужик приезжал.

— Какой мужик?

— Не знаю. На мотоцикле, в бандане. Нуцико удивилась, назвала его Юрием... отчества я не расслышала. В дом она его не повела, сидела с ним в беседке минут двадцать, потом он свалил.

— Погоди, в бандане, говоришь? Он такой высокий, широкоплечий, ему лет сорок, да?

— Да. А ты его знаешь?

— Видела один раз, он как-то маму привез на машине и ужинал у нас. Интересно, что ему от Нуцико понадобилось... Мама сказала тогда, что это клиент фирмы. Ты Нуцу не спрашивала о нем?

— Нет, я на урок тогда поехала, а вернулась, мне Андрей как раз позвонил, ну я и забыла.

— Ладно, вряд ли этот мужик в бандане втюрился в нашу Нуцу.

— Да уж. А больше вроде ничего такого...

— Значит, все хорошо?

— Вроде да. Тош, а ты там ни в кого не влюбилась?

— Чуть не влюбилась, но чуть не считается.

— А почему не влюбилась? Расскажи!

— Понимаешь, папа повез меня в одну русскую семью, с которой они дружат, там есть сын, ему восемнадцать, красивый парень, Дэвид, по-русски говорит уже хреново, но в принципе ничего, я сперва даже слегка на него запала, и родители у него славные, они там уже пятнадцать лет живут и здорово преуспели, дом у них клевый, не такой шикарный, как у папы, но очень красивый, на Голливудских холмах. И этот Дэвид на меня глаз положил, повел в кино, потом в кафе, на другой день опять встретились, он меня все про Россию расспрашивает, и вдруг чувствую, что ему ужасно хочется, чтобы я гадости какие-то про Россию рассказывала...

— Зачем ему это?

— Я заметила, что многим эмигрантам...

— Ты там что, со многими эмигрантами встречалась?

— Там — нет, но в Москву многие знакомые приезжали, и большинству охота, чтобы у нас все хреново было, наверное, чтобы самих себя убедить, что они правильно сделали, когда уехали... А мне это ужасно не нравится. И ведь Дэвид этот совсем маленьким уехал, ему-то зачем? Ну я и подумала — парень не умеет мыслить самостоятельно в восемнадцать лет. Мне такой не нужен.

— Но он же тебе понравился?

— Как понравился, так и разонравился. А кстати, твой Воздвиженский как, ничего такого не говорил?

— Что ты! И потом, он же не эмигрант, он это... человек мира!

— Сама сообразила?

— По-твоему, я совсем идиотка?

— Никогда так не считала. Только я тебя прошу, Таська, Нуцико про Дэвида не рассказывай.

— Есть что скрывать?

— Нет, просто она начнет меня жалеть, говорить, что я слишком рациональная и все такое. Ерунда, просто я еще не встретила парня себе под стать.

— А ты от скромности не помрешь! — засмеялась Таська.

— Я совершенно не собираюсь помирать, а уж тем более от скромности.

— Марго, Марго, — закричал Даниил Аркадьич, вылезая из машины, — где ты, Марго?

Она выскочила на крыльцо.

— Даня, что случилось? Почему ты так орешь?

— Маргоша, свершилось!

— Что свершилось? Ты так сияешь...

— Помнишь, мне на Майорку звонили, требовали, чтобы я к ним примчался?

— Ну и?

— Меня пригласили вести новостные программы на втором канале! Сказали, что им нужен ведущий с интеллигентным лицом, красивым голосом, меня попробовали вчера, а сегодня утвердили, можешь себе представить? Я так удивился, говорю, что я вроде бы староват для них, а они говорят, что им именно такой нужен... харизматичный и внушающий доверие, мол, у них не молодежный канал, короче, с октября выхожу в эфир... У тебя теперь будет муж с медийным лицом... Марго, ты не рада?

— Что ты, конечно, рада, но не тому, что ты станешь медийной мордой, а тому, что ты так рад. А с радио уйдешь?

— До середины сентября еще поработаю, а потом придется уйти.

— Значит, начиная с октября с тобой уже нельзя будет просто сходить в ресторан или в театр, все будут на тебя пялиться?

— До октября еще много времени, а пока... Давай завтра вечером сходим куда-нибудь, пока я не засветился на экране.

— Давай, — улыбнулась Марго. Ей вдруг стало страшно. Казалось, что-то должно случиться, что-то плохое...

— А где Нуцико, я ее почти не вижу, — сообразил вдруг Даниил Аркадьич. — Неужто все время пасет Бешбармака?

А ведь верно, подумала Марго.

— Я в душ, есть пока не хочу! — сообщил Даниил Аркадьич.

— Хорошо, — кивнула Марго и пошла к Нуцико. Постучалась.

— Войдите!

— Нуца, ты что, затворницей стала? Даже не куришь на лавочке...

— Маргоша, детка, мне необходимо с тобой поговорить.

У Марго упало сердце.

— Что-то случилось? Ты заболела?

— Нет. Знаешь, пойдем-ка в беседку.

— Нуца, не пугай меня.

— Да нет, пугаться нечего.

Они пошли в беседку, сели, Нуцико закурила.

— Марго, есть две темы...

— Плохая и хорошая? Начни с хорошей.

— Да я не знаю, хорошая она или нет... В твое отсутствие ко мне приезжал Юрий Валентинович.

— Кто? — не поверила своим ушам Марго. Она как-то сумела забыть о господине Вольнике.

— Ураган, помнишь его?

— Да, но зачем он к тебе-то приезжал?

— Хотел, чтобы я передала тебе его слова...

— Какие слова?

— Позволь, я расскажу по порядку?

— Ну давай.

— Я как раз вернулась с прогулки, а тут мотоцикл подъезжает. Смотрю, Ураган...

— Ураган на мотоцикле? — улыбнулась Марго.

— Он соскакивает со своего железного коня и говорит: — Уважаемая Нуцико, я приехал к вам, надо поговорить.

— О чем нам с вами говорить, уважаемый Юрий?

— О вашей племяннице. Я ее люблю.

— А мне-то вы зачем это сообщаете? Скажите ей.

— Так она ж сбежала. Я ей сообщил, что буду тридцатого, а она двадцать девятого удрала.

— Молодой человек, никуда Марго не удирала. Она уехала отдыхать вместе с мужем, поездка была запланирована, и к тому же Марго не из тех, кто удирает от кого бы то ни было.

— Ну да, вы все думаете, что она невесть какая крутая, сильная, а она... Я когда ее увидал, сразу просек, что она... Я даже стишок один вспомнил, не знаю уж чей... «Нежнее, чем польская панна, и, значит, нежнее всего».

— Это стихи Бальмонта, молодой человек. Был такой поэт Константин Бальмонт.

— Да? Запомню. Так вот, уважаемая Нуцико, прошу вас, передайте вашей племяннице, что на меня ее крутезь впечатления не производит и я ее все равно добьюсь. Я практически всегда всего добиваюсь. Вот так, уважаемая Нуца.

— А вы не думаете о том, что у Марго есть муж, дочка...

— Ну, дочка-то не от этого мужа.

— Марго любит своего мужа. Я допускаю даже, что между вами что-то было...

— Не в том дело. Вы, главное, передайте, что если у нее, не дай бог, что-то случится, она всегда может на меня рассчитывать, где бы я ни был, ей достаточно набрать мой телефон.

— С этими словами, детка, он поцеловал мне руку и унесся на своем мотоцикле. А у меня осталось ощущение, что я побывала в центре урагана.

— Что ж ты молчала до сих пор?

— А я не была уверена, что тебе следует об этом знать.

— Тогда зачем сказала?

— Пришла к выводу, что лучше сказать. Я не имею права утаивать это от тебя. Ну, с этим все, думать будешь сама. А теперь главное... — Нуци-ко глубоко затянулась, — ты вот просила меня по-читать дневники...

— Ох, совсем из головы вон... Странно, я все время забываю об этих злосчастных дневниках. И что ты скажешь?

— Марго, детка моя, по-моему, их надо просто сжечь, не читая...

— Господи помилуй, что там такое?

— Там все неприглядные стороны Сашиного су-щества. И это никому не нужно знать. Либо кто-то, а кроме тебя некому, должен вымарать все лич-ное, но где гарантия, что биограф, в руки которого попадут дневники, с помощью современной техни-ки не прочтет вымаранное и не захочет как-то не во благо использовать прочитанное?

— Нуца, но что же там такое? — испуганно спросила Марго.

— Там... Там мелкий, слабый, чудовищно эго-центричный и эгоистичный человек, сломленный системой. Да, он ее жертва, у него ореол мученика, вот пусть и останется в истории с этим ореолом...

— Господи, Нуца... Но все-таки что же там та-кое?

— Я прочла немного, но оттуда я узнала, что... Словом, как и почему ты рассталась с Димой...

Лицо Марго болезненно исказилось.

— И знаешь, что больше всего задело Сашу в этой истории? Размеры мужских достоинств молодого человека. Марго, это надо сжечь!

Что-то в тоне Нуцико показалось подозрительным Марго.

— Нуца, ты что, его любила? Это он был твоей недоступной любовью?

— Какое это теперь имеет значение? — вдруг хрипло спросила Нуцико.

— А он? Он любил тебя?

— Марго, разве Саша умел любить? Он был гениальным композитором, и довольно.

— А мама? Она об этом знала?

— Нет, я надеюсь, что нет.

— У вас с ним был роман?

— Нет... Хотя как посмотреть... Он многие годы клялся мне в любви. Между нами никогда ничего не было, я имею в виду постель... Но стоило мне сделать хоть один шаг в сторону... Думаешь, почему я не вышла замуж? Саша просто сходил с ума... А зачем я уехала тогда на три года во Францию? Я не хотела, не считала себя вправе жить в его доме, в доме покойной Этери... Но я чуть не загнулась там от тоски по всем вам. Да и старые мы уже были, отгорело, отболело все... У Саши были совсем другие чувства и обстоятельства, его не надо было жалеть уже...

— Он сломал тебе жизнь, Нуца!

— Разве только мне? И потом, если человек дает сломать себе жизнь, значит, он этого заслуживает... Ты вот тоже позволила ему...

— Но моя жизнь не сломана...

— Ты в этом абсолютно убеждена? Зачем же ты носишь Димино кольцо? И выходит, самым умным оказался твой Ураган...

— Нуца, я люблю тебя, ты...

— Ты не сердишься на меня, не винишь в смерти мамы?

— Как я могу? Я любила отца беззаветно, но после той истории многое поняла, поняла и то, что он без меня может пропасть. Ну и Дима... Он тоже повел себя не лучшим образом. Видно, не судьба... — грустно проговорила Марго. — А кольцо я ношу потому, что оно очень красивое. Моя жизнь не сломана, она надломилась тогда, но я смогла... У меня свое дело, у меня дочь, чудесная умная девочка, у меня муж, вы с Эличкой... Нет, моя жизнь не сломана, а вот твоя...

— Я не люблю думать об этом, жалеть о чем-то... Поверь, если бы я встретила человека, которого полюбила бы сильнее, чем Сашу, то нашла бы в себе силы что-то изменить... Самое грустное в этой истории то, что с Сашей я не спала, а тех, с кем спала, не любила...Но это все давно уже неактуально...

Марго обняла тетку, прижала ее голову к своей груди.

— Нуца, я ... я даже не знаю, что сказать...

— А не нужно ничего говорить. Давай просто сожжем дневники, пока до них не добралась Тошка или кто-то другой... Мало ли...

— Хорошо. Мы сожжем их.

— Но как? Как это осуществить физически?

— Я заберу из города вторую коробку, эту тоже положим в багажник, увезем куда-нибудь подальше в лес... И сожжем.

— Нельзя в такую жару жечь что-то в лесу!

— Ты права. Ну я подумаю, как это сделать.

— А может быть, не сжигать все разом, а жечь потихоньку, по одной тетрадке, а? Никто и внимания не обратит?

— Да, пожалуй...

— Вот и хорошо. Спасибо тебе.

— Хочешь, я прямо сейчас заберу у тебя эту коробку, поставлю в багажник и... Я знаю, я утоплю ее. Она довольно тяжелая, я суну туда еще камень и сброшу где-нибудь в реку.

— Да!

— Есть еще способ. Я возьму это на работу, там у меня машинка для уничтожения бумаг...

— Да нет, — улыбнулась Нуцико, — лучше уж утопить, как говорится, концы в воду.

— Прекрасно, завтра же и утоплю.

...Тошка в окно увидела, как мама ставит в багажник знакомую коробку. Интересно, куда она ее повезет? Неужто обратно на городскую квартиру? С другой стороны, зачем таскать дневники в коробке с места на место? К тому же из этой коробки я не прочла еще ни одной тетрадки... А любопытство все разгоралось... Тошка улучила момент, когда мама ушла в дом, подбежала к машине, открыла багажник. Коробка была вскрыта. Тошка сунула туда руку и вытащила несколько тетрадей. С гулко бьющимся сердцем она бросилась к себе наверх. Но в комнате сидела Тася.

— Что это у тебя? — спросила Тася.

— А, старые тетрадки, мне надо там кое-что посмотреть.

— Где ты их взяла?

— На чердаке.

— А что там такое у тебя?

— Ранние пробы пера. Неинтересно. Скажи лучше, твой не звонил?

— Нет, только эсэмэску прислал. Показать?

— Чужих писем не читаю!

— Ты даешь!

Тошка сунула тетради в ящик стола и, когда Таська вышла, заперла ящик. Завтра утром Таська поедет на урок музыки, и тогда можно будет заглянуть в тетради.

... «Не могу сейчас видеть Марго. Все кажется, она вот-вот скажет: "Папа, ты сломал мне жизнь!" Я сперва даже раскаивался, что устроил ту сцену, но, с другой стороны, зачем ей этот журналистишка? И он же бросил ее... Мерзавец! Она еще слишком юна, чтобы жить с таким... Да, наверное, еще не вошла во вкус, молоденькие редко что-то понимают в плотской любви, правда, аргументы у него уж больно убедительные... тьфу, как подумаю, что он мою Марго... А она хороша, ах как она хороша была, когда сидела, прикрывшись руками... Эти мысли надо гнать от себя, это грех уже непростительный... И все-таки я слишком импульсивен, нельзя было так... В конце концов, Марго уже совершеннолетняя...»

Тошка задумалась. Что же такое там произошло? По-видимому, дед застал маму в постели с каким-то журналистом. Девочку затошнило. Она перелистала тетрадь назад, но об этом случае ничего не говорилось. Там были рассуждения о том, как странно, что женщину, благодаря которой он опять начал сочинять музыку после смерти жены, зовут Музой. И еще о том, что Руза и Муза рифмуются...

Тошка открыла другую тетрадь.

«Марго вчера заявила мне, что ждет ребенка. И так на меня посмотрела, что все возражения застряли у меня в глотке. Она не простила мне той истории, хотя прошло столько лет. И я не посмел ничего возразить. Напротив, залепетал, что, слава богу, теперь я смогу ей помочь материально. А когда она сказала, что хочет забрать из Тбилиси теток, я даже обрадовался. И подумал, что моя любовь к Н. давно умерла».

Да, конечно, Н. — это Нуцико! Ничего себе! Тошка перевернула еще несколько страниц.

«Я боялся встречи с Н. здесь, в моем доме. И не зря боялся. Приехала старая, высохшая женщина, прокуренная, вся воплощенный укор. Хотя она никогда ничем меня не укоряла, у нее слишком развито чувство юмора. Но мысль о том, что я буду постоянно видеть ее здесь, показалась мне ужасной. Слава богу, вчера она объявила, что уезжает во Францию преподавать. Конечно, она поняла мои чувства. Или я ей стал неприятен, я ведь тоже уже старею, я старше нее, но я еще полон сил, я еще мужчина, а она уже... старуха. Какую жестокую шутку сыграла с нами жизнь. Но я сейчас добираю то, чего был лишен в молодые и зрелые годы, а она... Ей уже ничего не добрать. Хотя как посмотреть: в профессиональном смысле для нее приглашение во Францию, вероятно, очень существенно. И слава богу! Я, правда, теперь редко бываю в Москве, но все равно... Я рад, что она уедет, а вот Эличка, чистая душа, чудесное существо, она так счастлива, что у Марго ребенок, что она будет его растить, что опять у нее семья. Хорошо, хоть кто-то рядом счастлив. Марго даже не ответила мне, кто отец ребенка. Вообще с тех пор, как она вытащила меня из нескольких депрессий, она забрала надо мной большую власть, но я так люблю ее, что с радостью покоряюсь. Она добра, бесконечно добра... Я побаивался говорить ей о том, что хочу купить домик в Финляндии, но она поддержала меня всецело! И даже помогла с оформлением, меня ведь легко надуть. Эта красота природы, сказочный голос Асты, поющей мою музыку, позднее признание... Могу сказать, что я почти счастлив... Почему почти? Вероятно, потому, что большая часть жизни прошла в изоляции от мира и я как музыкант многого по этой причине просто не успел... Кстати, это Марго объяснила мне, что лучше поздно, чем никогда, что надо полной мерой наслаждаться тем, что дано, а не лить бессмысленные слезы над загубленным прошлым. Наверное, лучшее, что я создал, это Марго! Но я виноват перед ней безмерно. Как-то я рассказал о той сцене Асте. Она спросила: неужели дочь простила тебя? И я с легкой душой ответил: да, простила, она любит меня не меньше, чем я ее. И тогда Аста сказала эту фразу: «Значит, лучшее, что ты создал, — твоя дочь...»

«Я удивился, что Марго назвала дочь Викторией. Мне бы хотелось, чтобы внучку звали Этери. Но, видимо, Виктория — это победа Марго. Победа над чем или над кем? Может быть, надо мной? Да нет, скорее всего, над мужиком, сделавшим этого ребенка... Она ничего о нем не говорит, никогда. Новорожденной я Викторию не видел, был в Австралии с концертами. Сейчас ей уже семь месяцев, это прелестное существо, черноглазое, смугленькое, улыбчивое. Увидела меня, заулыбалась, пошла на руки, схватила за нос, стала смеяться... Ужасно напоминает маленькую Марго, и я уже люблю ее. Дома ее зовут Тошкой, милое имя. Уверен, вырастет красавицей. Марго молодчина, сильная, смелая. Жаль, у нее нет мужа, хотя я, стыдно признаться, рад этому. У нее мало свободного времени, но она всегда находит час-другой, чтобы поговорить со мной, развеять какие-то сомнения и страхи. Я не так давно купил дачу, а она уже превратила ее в семейное гнездо... Здесь старомодно, уютно именно так, как я люблю, здесь пахнет Эличкиной стряпней, а что может быть вкуснее Эличкиной стряпни? Вот уж объездил за эти годы почти полмира, бывал в лучших ресторанах, даже у знаменитого «Максима», но вкуснее Эличкиных яств нет ничего. Кстати, у Максима я был с Н. Не удержался, позвонил ей, когда был в Париже, решил проверить себя. Она пришла, очень элегантная, впрочем, у нее всегда была элегантная стать, дело не в тряпках, она не одевается в модных домах. Смотрел на нее, пытался вспомнить то сумасшествие свое, ту бурю чувств... Одни воспоминания... Она умна, образованна, как всегда иронична, говорить с ней удовольствие, но чувства остыли... У нее, вероятно, тоже... Глупо, что мы так ни разу и не переспали...»

Ни фига себе, подумала Тошка.

«... Я спросил ее, не жалеет ли она об этом. Она молча смерила меня насмешливым взглядом и ответила: — Саша, я ни за что не стала бы спать с мужем моей сестры. Ну, а любить тебя никто не мог запретить мне. Я любила. И слава Богу, совесть моя чиста перед памятью Этери.

— Тогда почему же ты уехала во Францию, не осталась жить у нас?

— Потому что я хотела этого! Потому что мне было это интересно! Разве ты не заметил еще, не понял, что я всегда поступала так, как хотела?

— Ты лукавишь, Нуца, я знаю, ты хотела спать со мной... Но твои моральные принципы оказались выше нормального человеческого желания...

— Саша, я знаю одно — ты все-таки любил меня, любил много лет, а если бы я спала с то-

бой, твоих чувств хватило бы от силы на год. Поверь, платонические отношения подчас бывают куда лучше и красивее плотских, и уж точно долговечнее.

Она утешается этим, что ж, пусть. Да, я любил ее, много лет она была для меня, наверное, главной женщиной в жизни... Черт побери, в тот момент ее слова вызвали у меня только раздражение, а вот стал писать — и вдруг понял, она права! Она уже старая и всегда заботилась о душе... А я... Боюсь, что в мире ином друг друга мы не узнаем... Я погряз в грехах, а она... Но мне рано еще думать о душе, я еще мужчина, действующий мужчина... И это сейчас главное. Я не слишком верю в загробную жизнь. А она... пусть утешается своей чистой совестью, если нечего вспомнить на склоне лет».

Обалдеть! Ну и Нуцико... Как я люблю ее, она самая лучшая. Но я никогда, ни за какие коврижки, ни слова ей не скажу о том, что знаю... Хорошо, что я прочла эту тетрадку, а то думала бы, что моя Нуца крутила роман с дедом за спиной бабушки. А там была просто великая любовь. Как это романтично, как красиво и как несовременно, когда все трындят про секс... А для деда, похоже, секс — отправная точка. Вон он тут уже старый, а все равно — он мужчина и гори оно все синим пламенем...

Часть вторая

Росчерком пера

— Чему ты радуешься, идиот? Девчонка посмеялась над тобой, а ты... Как маленький... Или уже в детство впал?

— Римма, ты не понимаешь... Это же кайф! Индейский головной убор, мечта детства, и никто не хотел надо мной издеваться...

— Да посмотри, на кого ты похож, старый дурак! Сними сейчас же эту гадость! Смотреть противно! Тебе скоро шестьдесят, а ты все в игрушки играешь! Ты же сам жил в Америке, и молодой еще был, почему ж не обзавелся, если такая мечта?

Лев Александрович снял с головы Тошкин подарок и задумчиво ответил:

— Да мне как-то не попалось на глаза, да и вообще не до того было. Я там достаточно хлебнул.

— Хватит, надоело!

— Послушай, если тебе все надоело, — стал медленно закипать Лев Александрович, — можем расстаться. Не проблема!

— Ага, щас! Тебе только того и надо, не дождетесь. А в твоем возрасте носить эти дурацкие перья по меньшей мере смешно. Но дело не в тебе, а в Тошке. Она невесть что о себе возомнила!

— У девочки хорошее чувство юмора! Только и всего.

— Она никогда не выйдет замуж!

— Почему? Она красотка.

— Умничает больно, мужчины таких не любят.

— Ну, может, найдется умный.

— Нет, не найдется, твоя сестрица вот тоже умная.

— И что? По-твоему, ее мужчины не любят?

— Лева, думаешь, этот ее муженек находка? Да он...

— Римма, ты хочешь поссориться? Непременно? Изволь. — Лев Александрович со всего маху стукнул кулаком по столу. — Замолчи сию минуту! — вдруг закричал он, — я не желаю слушать пакости о членах моей семьи! А не замолчишь, пожалеешь!

— Я-то замолчу, да вот другие...

— Заткнись!

Римма Павловна сочла за благо пожать плечами и удалиться.

Как я мог, как я мог жениться на этой идиотке? Хотя... как показывает доигрывание, она не такая уж идиотка... Идиот я. Но раз уж я попал в эту западню, надо постараться урвать хоть какую-то радость от жизни и заодно реабилитироваться.

Он сел в кресло, достал мобильник и позвонил.

— Марго, можно?

— Заходи, Танюша. Что-то живот не растет?

— Да ты что! Просто в этой хламидке не видно. Смотри!

— Правда, — улыбнулась Марго. — Ну, к делу. Как там Аля справляется? Тянет?

— Не то слово! Так лихо иногда соображает, я только диву даюсь, откуда что берется. Я ей позавчера поручила разобраться с «Пантерой». Там не очень сложная ситуация была, и я решила проверить Альку. Она так все разрулила, подошла с совершенно неожиданной стороны и уладила все ко всеобщему удовольствию.

— Правда?

— Мне зачем врать? Она супертолковая в чем-то... И клиенты клюют на ее нетипичность для нашей профессии. Скромная такая, интеллигентная... Словом, твоя интуиция в очередной раз тебя не подвела. Думаю, скоро смогу спокойно на нее все оставить. И человечек она славный, мы подружились... Ей бы еще мужика хорошего найти...

— Оно конечно, но не сейчас, а то мозги не в ту сторону уплывут. Ты не в курсе, Левка там больше к ней не лезет?

— А разве лез? — сделала невинные глаза Таня.

— Да вроде он на нее запал, она тоже...

— Мне про это неизвестно.

— И слава богу.

— Да, Марго, Аля заподозрила, что... понимаешь, у нее глаз-то не замыленный...

— Что заподозрила?

— Что Леня ведет нечестную игру.

— Я же тебе говорила, что не доверяю ему. Ты вникла? Есть на чем его поймать?

— А как же!

— Ну!

— На днях Аля поехала по моему поручению и сказала, что случайно увидела Ленечку с девицей.

— Это не криминал, — улыбнулась Марго.

— Девица не простая, а из конкурирующей организации. Подозреваю, что заказ от «Жень-Шеня» мы потеряли из-за этой связи.

— Только подозреваешь?

— Пока да. Но работаю в этом направлении. Все-таки твоя интуиция — это чудо.

— Моя интуиция говорит мне, что Леню в любом случае придется уволить. Но надо как-то так сделать, чтобы не нажить в его лице врага... Я подумаю над этим.

— Я тоже. Хотя он в бешенстве из-за появления Али. Рассчитывал, видимо, на мое место. Да, кстати, когда я вернусь после родов, что будет с Алей?

— Она будет твоим замом. В паре вы больше успеете.

— Супер! Я люблю тебя, Маргошка!

— Хватит сантиментов, давай займемся делами.

Лев Александрович сам себя не понимал, такого с ним прежде не было. Аля второй раз отложила встречу... Что-то лепетала, бормотала, ничего вразумительного. Он раздражался, злился, приходил в бешенство, решал, что больше не позвонит, но она снилась ему. Внезапно в голову пришло, что у нее мог завестись другой мужчина, молодой, сильный, и она не говорит ему об этом только из жалости. Подобные мысли были непереносимы, жизнь окрасилась в черные тона, и в результате он решил, что завтра утром — прошло две недели с первой попытки — он просто нагрянет к ней без звонка, с цветами и поглядит, что там такое... Правда, она может сегодня умчаться на дачу, все-таки там ее дочка... но если ее не окажется дома, мотану сразу на дачу и попробую поговорить с этой дурочкой. Глупый бизон, сам все испортил. А если застану у нее мужика? Что ж, значит, у меня появится цель — вернуть ее во что бы то ни стало.

А Аля и не думала ни о ком другом, просто на нее с каждым днем сваливалось все больше обязанностей, ей даже казалось иногда, что Таня нарочно загружает ее до изнеможения, чтобы некогда было и вспоминать о глупом бизоне. Ей так понравилось это его определение, оно свидетельствовало о прекрасном чувстве юмора, о самоиронии, и каждый раз, вспоминая о нем, она преисполнялась нежности, но уже дважды отложила встречу, так как по вечерам ей было уже не до любви. А сегодня надо, хоть кровь из носу, поехать на дачу. Она уже неделю не видела дочь. Конечно, Таська там присмотрена, сыта, ей не скучно, но родная мать есть родная мать. А с Левочкой все еще успеется. Глупый бизон... Бизон с виагрой, вдруг вспомнила она и рассмеялась. Бедный бизончик...

«Ну, сука, ты дождешься!» — гласила эсэмэска. Давно не было, с омерзением подумала Марго. Теперь уже пошли угрозы? Если предположить, что это развлекается кто-то из Даниных девок, то он, надо полагать, взбесил эту особу... Чем же? Очевидно, послал ее куда подальше. А может, это что-то другое, Леня, например? Вряд ли, слишком мелко, как-то по-бабьи...

И потом, Леню удалось сплавить в другую фирму с повышением зарплаты, так что внешне все выглядит вполне пристойно. Он же ничего не потерял, зачем ему это? Кто же еще может так развлекаться? Впрочем, наверное, я многим встала поперек горла, но как-то уж очень мелко это... Хотя эсэмэски, связанные с Даней, старались внушить мне, что он с кем-то трахается, а тут уже угроза... А впрочем, черт с ними со всеми. Что будет, то и будет. Просто у меня сейчас все так хорошо...

У Марго вдруг неприятно засосало под ложечкой. Я все время чего-то боюсь.

Марго набрала номер дачи.

— Алло, Эличка?

— Да, Маргоша?

— У вас там все в порядке?

— Да. Девочки сидят в беседке. Нуца пасет Бешбармака, а я готовлю ужин. После обеда девочки ездили в кафе-мороженое. Даня вернулся час назад и что-то строгает. Вот тебе полный отчет. А у тебя все в порядке? Аля сегодня приедет?

— Да, я надеюсь, мы сегодня не очень поздно...

— Ну вот и славно, детка.

— Что-нибудь привезти?

— Нет, кстати, Даня привез целую кучу арбузов и дынь. Один арбуз мы разрезали, он прекрасный.

— Хорошо, — улыбнулась Марго. Слава богу, там все в порядке. И тем не менее тревожное чувство не оставляло ее.

— Лев Александрович, — игриво проговорила Верочка, — ваша жена звонила, просила напомнить, что вы сегодня едете в Финляндию.

— Что? В какую Финляндию? Ох, черт, совсем забыл!

Действительно, они собирались на недельку в свой новый дом, который обоим очень нравился. Можно, конечно, было бы сослаться на неотложные дела, сказать Римме, чтобы ехала одна, а он приедет через два дня, но завтра суббота, она что-то заподозрит, к тому же она не говорит ни на одном иностранном языке, словом, во избежание скандала лучше поехать. Слава богу, свидания он Але не назначил. Придется удовольствоваться Верочкой. Она, как ни крути, славная бабенка и, в отличие от Али, вполне способна на быстрый секс в кабинете.

Он снял трубку.

— Деточка, позвони Римме Павловне, скажи, что я приеду прямо на вокзал, пусть соберет мои вещи. И зайди ко мне, — добавил он особенным тоном.

Верочка все поняла и проворчала: «Надоел ты мне, старый пень».

В субботу у Таськи был урок музыки. А Даниил Аркадьич пообещал сделать вечером шашлык. Он с утра замариновал мясо. Эличка, присматривавшая за ним, вынуждена была признать, что он все делает как положено.

— А какой соус ты думаешь подать?

— Ваше ткемали, конечно.

— Вах, я лучше сделаю быстрое сацибели. А Левочка предпочитает кетчуп.

— Так Левочка же уехал.

— Но он позавчера звонил, хотел приехать...

— Да нет, они в Финляндию смотались.

— Может, и к лучшему. Не люблю я Римму, особенно когда все свои и так хорошо...

Тошка и Нуцико пасли Бешбармака.

— Нуцико, он как царевич Гвидон растет, не по дням, а по часам. Интересно, он с дога вымахает?

— Да нет, хотя кто его знает... Боюсь, что долго мы его в манеже не продержим, он сгрызет эти планки и удерет.

— Факт, сгрызет, так, может, уже выпустим его на травку, он же беспородный, с ним не надо так цацкаться.

— Нет, пока пусть тут сидит, а уж как сгрызет, тогда и выпустим.

— А где мама?

— Работает. Сидит с какими-то бумагами. Рисует что-то.

— Понятно. Ни сна, ни отдыха измученной душе...

Нуцико ласково потрепала Тошку по волосам.

— Знаешь, Нуца, я в Америке больше всего по тебе скучала. Мне именно с тобой хотелось делиться впечатлениями.

— О, а вот и Тася вернулась!

— Привет! — убитым голосом проговорила Тася.

— Что стряслось? — в один голос спросили Тошка и Нуцико.

Таська обвела их испуганным взглядом.

— С Андреем что-то? — тихо спросила Тошка.

— Нет. Знаете, я просто не понимаю, как быть...

— Да в чем дело?

— Пожалуйста, только не ругайте меня, я просто... просто жуть...

— Да говори же, в чем дело? — рассердилась Тошка.

— Даже не знаю, как сказать... Ой, пойдемте в беседку, как бы нас кто-нибудь не услышал, не увидел...

— Тася, ты что? — вдруг всерьез испугалась Нуцико. — Хорошо, пойдем в беседку. Или ты предпочитаешь говорить только с Тошей?

— Нет, с вами тоже, вы умная, вы придумаете...

Тошка с Нуцей испуганно переглянулись. И направились в беседку.

— Ну?

— Понимаете, я сегодня нашла в электричке...

— Опять кольцо? — усмехнулась Тошка.

— Вот! — Таська вытащила из папки с нотами пестрый глянцевый журнал небольшого формата.

В этом журнале регулярно печатались скандальные истории об известных людях.

— С ума сошла? Зачем подбираешь всякую пакость? — напустилась на кузину Тошка, но у нее заболел живот. Неужто что-то про деда?

— Вот, смотрите! — Таська раскрыла журнал и показала им большую, очень удачную фотографию... Даниила Аркадьича. «Известный радиоведущий Даниил Белоярцев стал отцом моей дочери. И я не считаю нужным дальше скрывать это обстоятельство». На другой странице была изображена известная и очень талантливая актриса Светлана Богословская с очаровательной трехлетней девочкой на руках.

— Боже правый! — проговорила Нуцико.

Тошка позеленела.

— Нельзя это показывать маме!

— Журнал старый? — деловито осведомилась Нуцико.

— Да нет, свежий, — сказала Тошка.

— Тогда плохо, Марго все равно узнает. Наверняка найдется доброжелатель. Такие доброжелатели всегда найдутся.

— Вот я и подумала, может, лучше вы скажете тете Марго, — пролепетала Таська.

— Я? — ужаснулась Нуцико.

— Ну да, лучше вы или Тошка, чем чужие злые люди.

Тошка и Нуцико растерянно переглянулись.

— Господи, что за люди... этому ребенку три года... Они уже были женаты... Но зачем понадобилось сейчас публиковать эту уже не новость?

— Ну, наверное, он переехал к нам, отказался жениться на этой стерве, ну она и отомстила... — сказала Тошка. — А знаете, мне кажется, сказать маме должен он сам. Он виноват, пусть покается... Но как же все это противно... Никогда не выйду замуж... такая пакость...

— Кстати, неплохая мысль. Пусть муж с женой сами разбираются.

— А может, еще она врет, эта артистка... — упавшим голосом предположила Тася. — Сейчас это модно... Я в Интернете читала, что... Андрею какая-то тетка принесла ребеночка, наплела с три короба, но он настоял на генетической экспертизе. И выяснилось, что он ни при чем...

— Тебе лишь бы про своего Андрея поговорить, — проворчала Тошка, но мысль о том, что это ложь, ей ужасно понравилась.

— Тоша, как ты думаешь, Даня уже в курсе?

— Не похоже. Тюкает себе молоточком за домом. И вид у него невиноватый. Знаете что, я сейчас пойду и подготовлю его. Мне его даже немножко жалко. Боюсь, долго он тут не продержится. Но маме пусть сам скажет.

— Пожалуй, ты права, — кивнула Нуцико.

Тошка брезгливо, двумя пальчиками, взяла журнал и решительно направилась к отчиму.

— Какой замечательный человек наша Тошка, мудрый не по годам, но...

— Вы хотите сказать, что она не будет счастлива, горе от ума, да?

— Да, — печально улыбнулась Нуцико и обняла Таську.

— Даниил Аркадьич! — позвала Тошка.

Он выглянул из сарая.

— Что, Тошенька?

— Мне необходимо с вами поговорить.

— Беседа не терпит отлагательств? — улыбнулся он.

Он ничего не знает, поняла Тошка.

— Не терпит, к сожалению.

— И, как я понимаю, она будет строго конфиденциальной?

— Да!

У него вдруг екнуло сердце. Не тот человек Тошка, чтобы по пустякам разводить таинственность.

— Заходи!

Она вошла в сарай, где упоительно пахло свежей стружкой.

— Присаживайся! — указал он ей на старую табуретку. — Я внимательно тебя слушаю.

Тошка замялась, теребя в руках окаянный журнал.

— Тош, у тебя какие-то затруднения?

— Нет, со своими затруднениями я бы обратилась к маме, боюсь, затруднения у вас.

— У меня? Что ты хочешь сказать?

— Не сказать, а показать. Вот!

Тошка протянула ему журнал, раскрытый на нужной странице.

Он страшно побледнел.

— Где ты это взяла?

— Это важно?

— Мама еще не знает?

— Нет, конечно. Но я подумала, что она должна узнать это от вас, а не от чужих доброжелателей.

Он скрипнул зубами.

— Даниил Аркадьич, а это правда?

— Откуда я знаю?

— Ну, то есть это может быть правдой?

Он вспыхнул и еле слышно произнес:

— Да.

— Какая гадость...

— Ты права, не стану спорить с тобой.

— Так вы скажете маме?

— Марго не читает таких журналов...

— А вы наивный...

— Ты опять права... Да, лучше я сам скажу, хоть это будет нелегко... Но...

— Повинную голову меч не сечет.

— Будем надеяться. Ты меня презираешь, Тоша?

— Не знаю пока... Но почему-то мне вас жалко. И я желаю вам удачи. Вы... вы нам подходите, а теперь... кто знает... Ну, ни пуха вам.

— К черту! — тяжело вздохнул Даниил Аркадьич, взял журнал и как был, весь в опилках и стружке, направился к дому.

Молодец, не струсил, подумала Тошка. А маму жалко до ужаса, у нее в последнее время были такие счастливые глаза...

— Марго!

— Данька, что за вид? — засмеялась Марго.

— Мне необходимо с тобой поговорить, немедленно.

— Что-то случилось?

— Увы.

— Господи, что? — не на шутку встревожилась Марго. Таким она мужа не видела. Бледный, руки дрожат, а в руках какой-то глянцевый журнальчик. — Там что-то об отце?

— Марго, я даже не знаю, что сказать... Взгляни сама и... вынеси приговор. Как ты скажешь, так и будет.

На лбу у него выступили капельки пота.

Марго взяла журнал.

— Это правда, Даня? — хрипло спросила она.

— Это может быть правдой.

— Ты знал?

— О ребенке? Нет.

— У тебя был с ней роман?

— Романом это назвать нельзя.

— Ты с ней встречаешься?

— Нет.

— Зачем же она это сделала?

— Понятия не имею. И обрати внимание на фразу: «Все думали, что это ребенок Малькова, а на самом деле...»

— Да... Одним махом семерых побивахом...

— Марго, поверь, я люблю только тебя... Два месяца, что я прожил тут с тобой, были самыми счастливыми в моей жизни...

— Дань, ты сейчас иди, мне надо побыть одной, ладно?

Какая она неожиданная, думал он, машинально строгая какую-то деревяшку. Возня с деревом всегда успокаивала его. Ни слез, ни воплей, даже вражды не было. Она отнеслась к этому как к нашей общей беде. Да, собственно, так оно и есть. Это наша общая беда... И если она не прогонит меня, я больше никогда не посмотрю ни на одну бабу. Но какая стерва эта Светка, что ей вздумалось? Она же никогда не говорила, что это мой ребенок...

Все думали, что он Малькова... Воображаю, что сейчас творится у Славки... Его Инна наверняка сейчас бушует... А эта сука радуется, какой скандал замутила... И ведь как подает... Она, мол, теперь к Боженьке обратилась и хочет быть чистой... Очищается так... Тьфу... Ладно, хватит строгать, пойду приведу себя в порядок, чтобы выслушать приговор Марго, каким бы он ни был, в приличном виде.

Скорее всего, эсэмэски тоже слала эта стерва, думала Марго. Он почему-то ей понадобился... И она решила... Видно, с ним у нее не выгорело, и она вздумала действовать через меня, мол, я не выдержу, выгоню его, а она подберет... Не дождется. Он переспал с ней около четырех лет назад... Мы уже были женаты... А я тогда три месяца пробыла в Англии... Нельзя, будучи в здравом уме, требовать от молодого здорового мужика трехмесячного воздержания... Кстати, вполне может быть, что Даня к этому ребенку не имеет отношения, там, похоже, вообще был проходной двор... Малькову тоже достанется... А ведь он фигура куда более заметная, чем Данька... Знаменитый артист, секс-символ. И я верю, что Данька с ней не встречается больше. Я всегда чувствую, когда он врет... Эта сука рассчитывает на грандиозный скандал. Но она его не получит,

по крайней мере с моей стороны. А жена Малькова как хочет... Я просто наплюю. Мало ли что
пишут желтые журналы... Я знаю, Данька любит
меня, и это главное. А даже если он и сходил налево... Пусть, это бывает со всеми... Он же ее не
любит... Папа много лет любил родную сестру
мамы, хоть и не спал с ней... Что хуже? Папин
случай, наверное, много хуже. И я ведь тоже не
вовсе без греха, я переспала с Вольником и получила от этого невероятное удовольствие. Я просто не имею права кинуть в Даньку большой камень, так, горсточку гравия. И больше того, если
еще подвернется Вольник, я буду иметь право...
Марго сама удивилась своим не слишком благо-
честивым мыслям. А та история... Она быльем
поросла.

— Даня! — позвала она, выйдя из комнаты.

Он словно ждал за дверью. Умытый, одетый, с
горестно сжатыми губами.

— Да, Марго, я тут.

— Данька, я хочу сказать...

Это обращение «Данька» вселило в него надежду.

— Да, Маргоша?

— Она не дождется. Эта история уже быльем
поросла. Мы просто забудем о ней. И не клянись
мне в вечной верности, мы вступали в брак на ус-
ловиях взаимной свободы, что ж... Короче, если

ты не горишь желанием воссоединиться с этой... хотела сказать дамой, но язык не поворачивается, с этой шалавой, то будем считать, что ничего не было.

— Марго! Ты... Ты...

— Ты хочешь сказать, что я самая умная?

— Нет, я хочу сказать, что я самый счастливый на свете, оттого что у меня такая жена.

— А где ты взял журнальчик?

— Мне его принесла Тошка.

— Так... Значит, благородное семейство в курсе. Ничего. Я все улажу.

За ужином царила странная для этого дома атмосфера. Только Эличка, по-видимому, ничего не знала. А Таська, Тошка и Нуцико смотрели на Марго изумленно-испуганными глазами. В какой-то момент, когда Эличка пошла на кухню, она, понизив голос, сказала:

— Прошу вас всех никуда дальше эту пакость не распространять. Эличке не говорите. Я решила наплевать с высокого дерева на эту историю. И больше ни слышать о ней, ни думать не намерена. Я понятно выражаюсь? И обсуждать ее тоже не советую. Обсуждать, собственно, нечего. Все.

Когда через минуту Эличка внесла новое блюдо, ее приветствовали облегченно-восторженными возгласами. Атмосфера разрядилась.

— Тетя Марго крутая! Обалдеть просто! — восторгалась Таська. — Я думала, невесть что теперь будет, а она... Супер!

— Да, мама умная и, кажется, его любит. Но она зря думает, что на этом все кончится.

— Ты считаешь, та тетка будет продолжать?

— Дело не в ней...

— А в ком?

— В друзьях и родственниках.

— То есть?

— Сама что ли не понимаешь? Сейчас начнутся выражения сочувствия, охи, ахи, обсуждения. Маму будут науськивать на Даню, смотреть на нее с жалостью, словом, вони будет еще много, до следующего номера...

— Какого номера?

— Журнала. А это не меньше месяца... А еще всякие благочестивые идиотки начнут выть, что Даня обязан признать ребенка или по крайней мере содержать его... Мама хлебнет... Хорошо бы ей на этот месяц куда-нибудь свалить, но она не сможет...

— Тошка, Нуцико права...

— В чем она права?

— В том, что ты не сможешь быть счастливой...

— Да почему? Если я, например, влюблюсь, я сразу сдурею. Одна мамина подруга, писательница, уверяет, что, влюбляясь, все женщины дуреют.

И я не исключение... Правда, мне трудно влюбиться... Ну ничего, авось получится... Ну что
твой Воздвиженский?

— Я вчера в Интернете видела, что у него якобы роман с австралийской певицей, абориген-
кой... — убитым голосом проговорила Таська.

— Ты поверила и рассиропилась?

— Честно говоря, не очень, она страшненькая
такая, и потом, он мне пишет...

— Молодец! Этим интернетовским новостям
нельзя верить, хотя я и не исключаю, что он с ней
переспал.

— Тошка! — побледнела Тася.

— Таська, молодым мужикам постоянно нужно
с кем-то трахаться, да и немолодым, кажется, тоже. Вон дядя Лева...

— Что дядя Лева?

— Говорят, он трахает все, что шевелится.

— Тош, ты зачем все на меня вывалила?

— Нет, насчет аборигенки ты сама... А я просто попыталась тебе объяснить, что если даже
там что-то и было, это естественно. А ты, видимо, действительно здорово влюблена, когда ты
только приехала, была раз в пять умнее. Да ладно, не злись! Я же тебе добра желаю. Он тебе пишет. Он тебя любит, но пока не как женщину, а
как идеал...

— Идеалом быть как-то скучно...

— Это правда. Но ты имеешь шанс из идеала превратиться в живую женщину, и тогда уж у него крышу снесет, не починишь.

Таська зарделась.

— Тош, странно, я иногда злюсь на тебя, а потом понимаю, ты права. И, наверное, оттого, что мы сначала были вроде как на равных... а потом я влюбилась, сдурела, и ты стала со мной говорить немножко снисходительно...

— Снисходительно? Я так выгляжу? Ужасно! А я ни в кого не влюблена и дуреть вроде не с чего... Извини, я буду за собой следить.

— Мне иногда кажется, что тебе не шестнадцать лет, а все тридцать...

— Ерунда, не обращай внимания. Просто я всю жизнь живу среди взрослых и не самых глупых людей.

— Тош, скажи, ты не знаешь, у мамы и дяди Левы... что-то есть?

— По чесноку?

— Аск!

— Мне кажется, еще нет, но наклевывается.

Тошка проснулась от зубной боли. Боль была настоящая, невыдуманная. Она выпила таблетку анальгина, укутала голову теплым платком и мало-помалу ей стало легче. Но утром она заявила, что поедет в город к врачу.

— Что за поразительный ребенок! — воскликнул Даниил Аркадьич. — Сам просится к зубному врачу. Я в ее возрасте боялся зубных врачей больше, чем крокодилов.

— Молодец, Тошка, умница, — ласково погладила ее по голове Эличка. — Поезжай с мамой.

— Конечно, — кивнула Марго, — только после врача ты уж сама действуй. Володя мне будет нужен, у меня сегодня много разъездов. — А Тася с тобой не поедет?

— У меня сегодня урок, — простонала Таська. Она чувствовала себя предательницей. Тошка с ней поехала, когда она притворялась, а теперь...

— Не парься, — шепнула ей Тошка. — Все нормально, я же не боюсь.

Доктор Моисей Израилевич Тошку обожал.

— О, моя любимая пациентка... Что стряслось, зубик болит? Ничего, это дело поправимое. Открой-ка ротик, так... Вот так больно? Нет? Хорошо, а так?

— Ай!

— Все понятно. Сейчас немножко полечим наш зубик и будем жить дальше, весело и счастливо. А как мамочка?

— Нормально.

Слава богу, он этих журналов не читает, подумала с облегчением Тошка.

Минут через сорок доктор ее отпустил.

— Если все будет хорошо, покажись мне на всякий случай месяца через два, а если будет хоть чуточку болеть, сразу ко мне. Ну, привет всему семейству!

— Спасибо, Моисей Израилевич. Как хорошо жить, когда ничего не болит!

— Ты, как всегда, права, моя дорогая.

Тошка вышла на улицу. День был не слишком жаркий, но солнечный. Захотелось пройтись, съесть мороженого, но не раньше, чем через два часа. Отлично, нагуляюсь, а потом с полным правом поем мороженого. Она позвонила Марго и сообщила о результатах визита к дантисту.

— Хорошо, ты меня порадовала, — сказала мама. Но голос у нее был совсем нерадостный. Достают ее с этой статейкой. Но тут я ничем не могу ей помочь.

Тошка обожала бродить одна по Москве, тем более что доктор принимал на Второй Фрунзенской. Тошка пошла по набережной. Пойду вдоль реки, может, проедусь на речном трамвайчике. Хорошо!

Идти вдоль набережной было на удивление приятно. Навстречу шла женщина в темных очках и с палочкой. Слепая. Тошка посторонилась, а двое молодых парней перли напролом, не глядя по сторонам и гогоча, Тошка хотела крикнуть им, но тут женщина задела одного из них палочкой.

— Слепая, да? — вызверился один.

— Извините, я действительно не вижу, — пробормотала женщина.

— А не видишь, нечего по улицам шляться, нормальным людям мешать.

— Эй ты, мурло! — вскипела Тошка. — А ну заткни пасть!

— Чего? Это ты мне, шмакодявка?

— Тебе, тебе! Да как ты смеешь, скотина, так с человеком, а?

— Ты чо? Бóрзая, да?

— Я нормальная, а ты вот гад! И подумай своим куриным мозгом, ты ведь тоже запросто ослепнуть можешь. Твой же дружбан тебе в глаз даст — и готово! Тогда узнаешь, каково это! — вне себя от бешенства орала Тошка.

Слепая женщина поспешила уйти, она боялась, что может возникнуть потасовка и ей достанется. Но парни были трезвые и от Тошкиной наглости просто ошалели.

— Ты чо лепишь, писюха? Ты кто, депутат?

— Да пошел ты! Ненавижу таких ублюдков! Небось сам себе крутым кажешься, а на самом деле просто хамло.

— Не, Витек, видел телку наглую, может, проучим, а?

Тошка выхватила из сумки баллончик.

— Только сделай шаг!

— Фу ты ну ты, охота была связываться. Пошли, Витек!

— Погодь, Димастый, я поинтересоваться хочу, ты чо, всех на улице лечишь?

— Только тех, кому мама с папой не объяснили...

— Во дает! Дим, а она ничего, только ненормальная! Но для этого дела сгодится, — и парень вдруг заломил Тошкину руку, державшую баллончик. Он выпал, а второй малый схватил ее за другую руку.

Тошка испугалась.

— Пусти, идиот! Эй, помогите! — крикнула она проходящему мимо мужчине. Тот метнулся через проезжую часть.

— Нарываться не надо было! Теперь ты нам заплатишь за все!

И они поволокли ее, а тот, что выбил у нее баллончик, ткнул ей в бок что-то твердое и прошипел:

— Пикнешь, убью на фиг!

У Тошки душа ушла в пятки. Но вдруг сзади раздался истошный крик:

— Наташка! Стойте, гады!

Парни прибавили шагу. Но почти тут же отпустили Тошку. На них вихрем налетел какой-то человек, взмахнул рукой, ногой, и оба хулигана повалились на асфальт с проклятиями. Спаситель схватил Тошку за руку и для полноты картины брызнул обоим в глаза Тошкиным баллончиком.

Раздалась такая ругань, какой Тошке еще слышать не приходилось. А парень впихнул Тошку в старенькие «Жигули».

— Надо смываться, а то менты наскочут и мы же еще виноваты будем. Жива?

— Да, спасибо.

— Струхнула?

— Есть немножко.

— Куда тебя отвезти?

— На Тверскую, если можно.

— Можно. А как тебя зовут?

— Виктория.

— А я Гриша.

Тошка впервые посмотрела на своего спасителя. Он был такой красивый... Кудрявые волосы, русые с золотистым отливом, зеленые большие глаза, на вид ему лет двадцать, широкие плечи, мускулатура, словом, принц-спаситель!

— А почему вы крикнули Наташа? — едва справившись с волнением, спросила Тошка.

— Не знаю, почему-то показалось, что ты Наташа. Ты зачем их задирала? Я все слышал, но не хотел вмешиваться, интересно было, чем кончится и чья возьмет. Но когда они тебя поволокли, я понял — пора.

— Сама понимаю, что дура непроходимая, нашла с кем связываться...

— И часто ты так шпану воспитываешь?

— Первый раз. Просто у меня от ненависти мозги помутились... Обхамили слепую, гады!

— А ты не могла пройти мимо?

— А ты? Полез один с двумя драться из-за незнакомой девчонки? Тоже небось от ненависти?

Гриша внимательно на нее посмотрел.

— Кажется, мы с тобой два сапога пара! — засмеялся он. — Слушай, сколько тебе лет?

— Шестнадцать. А тебе?

— Двадцать. Ты красивая, оказывается! Даже очень. И глаза совсем сухие. Даже плакать не хотелось?

— Еще чего!

— Хочешь сказать, что они не стоят твоих слез? — улыбнулся он.

— Ясный блин.

— Скажи, у тебя есть парень?

— Нет!

— А давай я буду твоим парнем? Сгожусь?

— Сгодишься, но хотелось бы узнать, какие у нас будут права и обязанности?

— Во как? Круто! — восхитился он. — Для начала моя обязанность угостить тебя мороженым. А у тебя есть право выбрать место, ну и мороженое. А потом я обязан отвезти тебя домой. Так что пока у меня обязанности, а у тебя права. Как тебе такой расклад?

— Принимается.

— Ну, куда едем?

— Предоставляю тебе право выбора, — сказала Тошка, боясь, что выбранное ею кафе может оказаться парню не по карману.

— Хорошо, поехали. Тут рядышком, в переулке.

Это оказалось то самое кафе, где она не раз бывала с мамой.

— Здорово, я как раз о нем думала.

— Что ж не сказала? Боялась, что я не потяну? Тошка покраснела.

— Мы хорошо понимаем друг друга. Да? — и он посмотрел ей в глаза.

Ой мамочки! Я влюбилась!

Во второй половине дня Марго, обычно сдержанная, была уже на грани истерики. Все, буквально все были в курсе ее семейных дел. Кто-то смотрел сочувственно, кто-то злорадно, кто-то возмущался вслух, кто-то молча брал ее за руку — держись мол. В какой-то момент она сказала:

— Лена, ко мне никого не пускать, слышишь?

— Хорошо, Маргарита Александровна, — постным от сочувствия голосом произнесла Лена.

Марго, едва за ней закрылась дверь, схватила со стола очередную пепельницу и что было сил запустила ее в многострадальный мраморный подоконник. Но окаянная пепельница, целая и невредимая, плюхнулась на покрытый ковролином пол. Марго подняла ее и на сей раз прицелилась в батарею. Тот же результат. Небьющаяся она, что ли? Тогда Марго швырнула кружку, из которой пила кофе. Кружка разбилась. Но легче не стало, наоборот, безумно разболелась голова. А Даньке сейчас, наверное, хоть бы хны... Интересно, зачем эта лярва так поступила? А может, пойти к ней и прямо задать вопрос: зачем? Нет, много чести. Или позвонить Инне, жене Малькова, я ее знаю, она милая... Да нет, нельзя подымать волну, надо сидеть тихо, как мышка, тогда все скорее уляжется. Эх, улететь бы сейчас куда-нибудь к черту на рога... Зазвонил мобильник. Кто еще? Тошка. Слава Богу.

— Мамочка, как ты там? Достают?

— Ох, не говори! А ты где?

— Собираюсь на дачу. Тебя ждать, наверное, нет смысла?

— Боюсь, что так. Хорошо. Езжай. Ты что-нибудь ела?

— Ела, мамуля. Ты держись, скоро все пройдет.

— Надеюсь.

Голос у Тошки был какой-то непривычно возбужденный, видимо, и ее уже достали...

Опять зазвонил телефон. Варвара.

— Варь, если ты начнешь мне сочувствовать, предупреждаю, я швырну трубку.

— Еще чего, чему тут сочувствовать? Дурь и гадство. Но с тобой очень хочет встретиться Инна Малькова.

— Зачем это? Вместе рыдать? — разозлилась Марго.

— Нет. Она говорит, что ты жутко умная, а она в растерянности, не знает, как быть.

— Передай ей, чтобы молчала, набрала в рот воды и всех посылала далеко и надолго. Тогда эта мерзость скоро сама собой захлебнется.

— Я ей то же самое сказала.

— Передай, что я к ней прекрасно отношусь, в другой ситуации с удовольствием встретилась бы, но сейчас нет ни сил, ни времени.

— Марго, а могу я тебе на правах старой подруги задать один вопрос?

— Попробуй.

— Ты собираешься делать какие-то оргвыводы?

— Хочешь узнать, не выгоню ли я Даньку? Нет.

— Ну и правильно. С кем не бывает. Ладно, чувствую, ты скоро всех сотрудников перекусаешь. А может, вечерком поужинаем где-нибудь в тихом месте, мы давно не видались...

— А что, мне нравится твоя идея. Но только вдвоем.

— Естественно. Давай я к концу рабочего дня подвалю к тебе в офис.

— Подваливай.

Марго обрадовала перспектива провести вечер со старой подругой, а потом заночевать одной в городе. Мысль о виноватых глазах мужа была ей сейчас непереносима.

После кафе-мороженого Гриша предложил довезти Тошку до дачи. Она с восторгом согласилась. С каждой минутой он все больше ей нравился. Она пыталась найти в нем какие-то недостатки, но не получалось. Он даже был отлично начитан, любил стихи и тоже провел две недели в Калифорнии. Им было о чем поговорить.

— Гриша, а ты где учишься?

— В МГУ, на журфаке. А ты еще в школе?

— Да. И я ее ненавижу!

— Так перейди в другую.

— Я уже думала, но, с другой стороны, осталось учиться всего год, не стоит затеваться.

— А кто твои родители?

— Они в разводе. Мама бизнес-леди, а папа живет в Америке, у него тоже бизнес, что-то связанное с электроникой.

— Надо же, и мои предки в разводе. Я до четырех лет жил с матерью, а потом отец меня забрал и я рос у бабки с дедом. Они у меня люди золотые и очень образованные... Я тебя с ними познакомлю, вы друг дружке понравитесь. Но я не только учусь, я еще подрабатываю в одной компьютерной фирме, вот сам смог купить себе тачку, хоть и не новую, сам в Америку мотал, неохота ни на чьей шее сидеть.

— А у тебя что, нет девушки? Как-то не верится.

— Почему? — засмеялся он.

— Ты красивый...

— И ты красивая, даже очень красивая, а у тебя же нет парня.

— Здóрово...

— Значит, ты живешь вдвоем с мамой?

— Нет, что ты! Нас много. Кроме мамы и ее мужа, есть еще две мамины тетушки, есть двоюродная сестра, моя ровесница, ее мама, вдова маминого брата...

— И вы все вместе живете?

— Нет, все вместе мы только на даче. Ой, а еще у нас есть Бешбармак!

— А это кто?

— Щеночек. Он целыми днями сидит в манеже на лужайке и Нуцико его пасет.

— Нуцико? Что за имя?

— Грузинское. Бабушка была грузинкой, ее звали Этери, но я ее не видела. Она рано умерла.

— А ты была в Грузии?

— Нет, к сожалению.

— Тоша, ты меня познакомишь со своими?

— Обязательно, только не сейчас, у нас дома кое-что стряслось, неохота говорить, думаю, скоро все уляжется, тогда и познакомлю.

— Согласен. А что ты завтра делаешь?

— Завтра? Завтра ты за мной заедешь и мы куда-нибудь с тобой намылимся. Устраивает? Я же теперь твоя девушка.

— Скажи, а можно...

— Можно.

— Что?

— Ты хотел спросить, можно ли меня поцеловать?

— Откуда ты знаешь?

— По глазам...

Он остановил машину на обочине. Осторожно взял в ладони ее лицо и прошептал:

— Тошенька, это судьба...

Какая я была дура, мелькнуло в хмельной от счастья Тошкиной голове, зачем я переспала с этим французом... Вот он, мой принц, мой спаситель... Нет, я сейчас сдурею...

— Скажи, — прохрипел он, с трудом отрываясь от нее, — а ты...

— Нет.

— Что нет? — Она ставила его в тупик.

— Я уже не девушка... Ты же это хотел спросить.

— Ты что, читаешь мысли?

— Но это же не мысли, это голос инстинкта, говорят, основного, — Тошка была верна себе.

— Тошка, ты чудо, ты самая удивительная девочка, мне такие еще не встречались.

— Ты много говоришь, лучше поцелуй меня еще. Меня никто еще так не целовал...

— А тот?

— Это была просто глупость, жуткая глупость с моей стороны. И любопытство. Даже намека на любовь не было...

Зачем я сказала про любовь? Мужчины этого слова боятся, мама говорила и Нуца, и даже Эличка...

— Я люблю тебя, Тошка. Я когда разглядел тебя в машине, я вдруг понял — это моя девушка и я ее люблю.

— И я поняла... Хотя в моем случае это естественно.

— Почему?

— Ты же меня спас, а в спасителей, тем более таких красивых, всегда влюбляются.

— Выходи за меня замуж.

— Что?

— Что слышала.

— А зачем?

— Как зачем? — растерялся он.

— Зачем замуж? Я ж еще школу не окончила... И вообще, в замужестве ничего хорошего нет. А что там есть хорошего, можно и **без** замужества...

— Ты... С тобой не соскучишься! И тебе только шестнадцать?

— Недавно исполнилось.

— Тогда завтра мы поедем к нам. Бабка с дедом сейчас во Франции...

— Мне как раз вчера говорила Таська, моя кузина, что я слишком рассудочная и не смогу влюбиться, я и сама так думала... Гришенька, какое счастье, что мне встретилась та шпана...

Суровая северная природа действовала умиротворяюще. В этом чистом красивом доме с потрясающим видом из окон замечательно спалось, без всяких снотворных. А какие тут прогулки! Римма Павловна прогулок не любила, зато со страстью занималась домом. Все-таки тут давно никто не жил. Да, у покойного свекра был недурной вкус. А какие тут молочные продукты, а воздух! Конечно, долго тут жить — с тоски помрешь, но вырваться на недельку, примерно раз в квартал, — просто мечта. К тому же этот дом наверняка будет сфотографирован и помещен во всех книгах и альбомах, посвященных жизни и творчеству великого композитора. Старик, правда, был довольно занудный и смотрел на Римму с некоторым недоумением, словно говоря: «Ты как к нам затесалась, голубушка?» — но он уже на том свете, а я навсегда останусь невесткой великого композитора, а это не кот начихал. И Левка здесь совсем по-другому выглядит, гуляет по три часа, ему полезно. И, похоже, все мои мысли насчет этой провинциальной вдовицы были ошибкой. Я слишком хорошо его знаю. Сейчас он занимается Верочкой, пусть, она хоть чистенькая, но, кажется, уже немного ему надоела. Впрочем, поглядим. По крайней мере у Верочки нет идей увести его, у нее хватает ума понять, что со мной лучше не связываться. А вдовушка могла бы быть опасной из-за своего интеллигентского бескорыстия. Но тут и думать не о чем. Да, я считала, что старик ничего сыну не оставит, но такой дом и треть авторских прав — кусок нехилый... Поэтому бдительность и еще раз бдительность.

Лев Александрович тоже был в восторге от отцовского наследства. Он упивался красотой природы. Видно, я здорово постарел, раньше природа как-то мало меня трогала, а теперь... Или это из-за Али? Она пробудила во мне что-то ранее мне самому неведомое. Какое-то волнение чувств, а не только плоти... И это, надо сказать, прекрасно. Как там писал Тютчев? «О, как на склоне наших лет нежней мы любим и суеверней...» А ведь она очень подходит для таких вот долгих нежных отношений... Ох, не надо было лезть к ней в постель... Но с другой стороны, неохота, чтобы она считала меня импотентом. Ей нет и сорока, и она нашла бы другого, а эта мысль мне почему-то непереносима. Да, в этой истории сам черт ногу сломит... А отец на старости лет, дорвавшись до славы, признания и денег, надо заметить, проявил отличный вкус. Этот дом в этом месте — идеальное пристанище для последней любви великого музыканта с трагической судьбой. Хотя истинно трагической его судьбу теперь никто не назовет. Последние двадцать лет перекроют первую часть жизни, советскую. Он был странный, из троих детей любил только Марго, меня принимал, даже иногда с определенной долей симпатии, Сергея просто на дух не переносил... Я слишком рано у него появился, ему было не до меня — молодой, безумно талантливый, любимец женщин, жуткий бабник, какой ему интерес в маленьком сыне? А мама... она любила меня со всем неистовством грузинской матери, любила своего первенца, будущего мужчину, главу рода... Бедная, она так рано умерла, ее жизнь тоже счастливой не назовешь... И я, скотина, разве думал о ней, когда помчался в Америку? Я даже не смог с ней проститься... Хотя мама радовалась тому, что я уеду, буду жить в свободном мире... Она, бедная, всегда верила, что отец дождется своего звездного часа. Дождался, но без нее. Странно, что он оставил мне этот дом. Уверен, это дело рук Марго.

Она, скорее всего, не для меня этого добилась, а чтобы обожаемого папочку после смерти не обвинили в несправедливости, но как бы там ни было... Я счастлив, что у меня есть этот дом, тут с меня как будто слетает вся шелуха моей идиотской жизни. Мне надоел калейдоскоп бабенок, я хочу жить здесь тихо... с Алей. Да, может, и наступит такой день, может, хватит у меня сил? Главное, не поддаться и не перевести дом на Римму. Она пока не настаивает, но, уверен, вынашивает эту мысль. Ну уж нет! Она его не получит даже после моей смерти, я возьму и завещаю его Алиной дочке... Хотя нет, я завещаю его Тошке! Но если Аля будет со мной? Решено, я завещаю его просто Але. Даже если мне не суждено жить здесь с нею, но она, живя здесь, будет вспоминать меня с любовью и благодарностью... И мне этого будет достаточно? Что это со мной? Кажется, мне достаточно только мысли об этом... Любовь, что ли? А она очень подошла бы к этому дому. Ее спокойная, неброская красота, тихий голос.

— Лева, обедать! — громко позвала жена.

Фу, какой диссонанс!

— Маргарита Александровна, ваша дочка пришла, — доложила секретарша.

— Тошка? — безмерно удивилась Марго. Утром она оставила ее на даче. — Пусть войдет.

На пороге возникла Тошка. Марго едва узнала ее. Красивая, взрослая, явно решительно настроенная. У Марго заболело сердце.

— Тошка, откуда ты? Что-то случилось?

— Мамочка, я должна с тобой поговорить, срочно.

— Говори, но у меня через десять минут встреча.

— Хорошо. Я быстро. Мама, мы скоро переезжаем в город, и я хочу сказать, что я... Короче, мама, я выхожу замуж. И буду жить у мужа. Вот. Если тебе интересно, мой муж ждет в машине. Позвать?

— Что? Замуж? Ты сошла с ума? Ты же в школе учишься! — ничего умнее не придумала Марго.

— Неважно. Это любовь, и я не хочу ничего откладывать. Я привыкла все тебе говорить и потому говорю сразу — я уже месяц с ним сплю. Так что поздняк метаться. Он замечательный парень, красивый, умный, из хорошей семьи. Если ты станешь возражать, я слушать не буду. Просто уйду из дома, я не дам загубить себе жизнь, как ты...

— Я? — опешила Марго.

— Да. Дед сломал тебе жизнь, но со мной этот номер не пройдет.

— Тошка, почему ты разговариваешь со мной как с врагом? Я не враг тебе, я не собираюсь ломать твою жизнь, но почему же ты раньше не познакомила нас?

— Потому что я хотела сама разобраться в своих чувствах, а когда разобралась, сразу пришла к тебе.

— Но сколько ему лет?

— Вчера исполнился двадцать один год. Позвать его?

— Тошенька, я же сказала, у меня сейчас встреча.

— Ну, ради такого дела встречу можно и отменить.

— Да, если до встречи остается хотя бы час, но когда всего... — Марго глянула на часы, — ...две минуты... Я предлагаю отложить знакомство ну, скажем, до вечера. Пусть твой мальчик приедет к нам, познакомится со всеми...

— Вечером он работает. И вообще, я хотела бы сначала познакомить его с тобой. А то, когда много народу, ты понять ничего не сможешь, и ему так будет легче.

— Хорошо. Через полтора часа я жду вас обоих в том ресторане, где ты знакомилась с отцом. Годится?

— Он слишком дорогой.

— Ничего, я вас приглашаю.

— Маргарита Александровна, Матюхин пришел.

— Одну минутку. Все, Тошенька, иди. Мы договорились.

Тошка ушла. Марго глянула на себя в зеркало и ужаснулась. Какие, к черту, переговоры, когда такое творится?

— Лена, Аля здесь?

— Да.

— Попроси ее зайти ко мне.

Она поднялась навстречу вошедшему. Это был весьма солидный потенциальный клиент, упустить которого ни в коем случае нельзя.

Вскоре появилась Аля, и по виду Марго сразу поняла — что-то случилось.

Тем не менее переговоры прошли как надо, Марго умела держать себя в руках.

— Маргоша, что-то случилось? — испуганно спросила Аля, когда клиент наконец ушел.

— Да нет, пока ничего особенного. Я должна сейчас уехать, у меня деловой обед... А ты подключи Мирослава и займись сама этим проектом.

— Марго, но я...

— Ты справишься, я уверена. И Мирослав парень толковый, поможет.

— Попробую.

— И не стесняйся спрашивать. Меня в том числе. Лена, скажи Володе, что я выйду через пять минут.

— Нуцико, тебе не кажется, что у Тошки роман?

— Кажется.

— Ты что-то знаешь?

— Элико, я ничего не знаю, я только догадываюсь.

— Но она же всегда была с тобой откровенна! Я так беспокоюсь... Девочка изменилась...

— Да, она здорово похорошела...

— Вот-вот, я боюсь, что...

— Ты боишься, что она спит с этим парнем?

— Вай мэ, ты его знаешь?

— Нет.

— Так почему ты говоришь, что он парень? Может, это взрослый мужчина?

— Если она с ним спит, то какая, собственно, разница, парень или взрослый мужчина? Взрослый даже лучше, опытнее, меньше шансов, что она забеременеет.

— А как ты думаешь, Марго знает?

— Боюсь, что нет. Даже Тася ничего не знает. Я уж пытала ее. Божится, что ни сном ни духом... А Марго, по-моему, просто не до нее. Работа, да еще эта история с Даней...

Разумеется, скрыть эту историю от Элички не удалось. Кто-то явился к ней с пресловутой публикацией и довел до сердечного приступа.

— Ой, не говори, Нуца... Что за люди пошли? Зачем эта женщина так поступила?

— Откуда мне это знать? Вероятно, сводила какие-то счеты... Или хотела заполучить Даню. И я не уверена, что она своего не добьется.

— Вах, Нуца, что ты говоришь?

— Элико, ты что, слепая? Не видишь, как все поворачивается? Марго изводят сочувствующие, она нервничает, злится, Даня чувствует себя виноватым, она, похоже, просто уже не может видеть его виноватых глаз... Кстати, Тошка предсказывала что-то в этом роде. Но хуже всего то, что он стал пить...

— Я бы своими руками удушила эту тварь! — вскипела Эличка, что было ей несвойственно. — Только у девочки что-то наладилось в личной жизни... — и Элико выругалась по-грузински.

— Вот уж не думала, что услышу это от тебя, — засмеялась Нуцико.

— Тася говорит «зла не хватает». Кстати, мне жаль, что в городе ее не будет с нами. Я к ней привязалась. Чудная девочка.

— Да...

Нуцико как-то спросила Тошку:

— Детка, скажи, ты влюблена?

— Нуца, я все тебе расскажу, когда разберусь в своих чувствах, а пока ты меня не пытай. Бесполезно.

С Таськой Тошка, разумеется, была куда откровеннее, но взяла с нее страшную клятву, что та будет молчать. И Таська свято хранила Тошкину тайну, тем более что у нее была своя тайна. Воздвиженский по-прежнему звонил ей и присылал эсэмэски. В Москве ее ждал новенький собственный компьютер, и, когда они переедут на свою квартиру, она сможет переписываться с ним по электронной почте. Придется обзавестись двумя электронными адресами, для конспирации. Когда она думала о том, что в конце октября он приедет в Москву, сердце у нее уходило в пятки.

— Вот, вы все твердили, что я не смогу влюбиться, — упоенно говорила Тошка, — а я смогла... Увидела и сразу... С первого взгляда, и он тоже... Он познакомил меня с бабкой и дедом. Они такие классные! И я им жутко понравилась. Бабка сказала, что я самый лучший подарок, который ей сделал внук. Мы с ней вместе готовили и читали стихи. И я ни разу не осрамилась. Она мне Блока — и я ей Блока, она Пастернака — и я Пастернака... А когда Гришка заявил, что мы хотим пожениться, они с дедом сказали, что будут счастливы, если я перееду к ним, а бабка еще сказала, что поможет мне сдать экзамены экстерном и мне не надо будет больше ходить в эту дебильную школу.

— Ой, Тошка, какая ты смелая...

— Нет, мне еще надо набраться смелости сказать все маме. Вот завтра поеду в город и скажу.

— А здесь почему сказать не можешь?

— Лучше в офисе. Там она не развопится...

— Тетя Марго разве вопит?

— По такому случаю может, наверное... И вообще, так лучше, поверь мне.

— Тош, а разве вас распишут в шестнадцать лет?

— Зачем расписываться? Бред какой-то! Так будем жить... Знаешь, Таська, я без него уже совсем не могу... И он тоже... Он такой...

— А отца его ты знаешь?

— Нет, он живет за границей.

— А мать?

— Ой, Таська, это такая проблема... Ужас просто...

— Почему?

— А ты знаешь, кто его мать?

— Откуда? — испугалась Таська.

— Светлана Богословская.

Таська вытаращила глаза.

— Та самая?

— Именно. Но Гриша с ней не общается.

— Из-за этой истории?

— Да нет, там много всяких историй было, противно. Но я не знаю, как мама это переживет...

— Она может посчитать это предательством с твоей стороны.

— Может, — тяжело вздохнула Тошка. — Но Гришка сказал, что возьмет этот разговор на себя.

— Ни фига себе заявочки!

— Да уж... Но что бы мама ни говорила, я все равно сделаю по-своему. Я не могу без него жить.

— Знаешь, кто мы с тобой, — вдруг засмеялась Тася.

— Ну?

— Молодые да ранние.

— Это точно! — засмеялась в ответ Тошка.

Марго первой приехала в ресторан. У нее дрожали руки и сосало под ложечкой. Больше всего она боялась увидеть грязного патлатого парня в наколках с плеером в ушах и пустыми глазами отморозка. Поэтому, увидев рядом с Тошкой высокого и коротко стриженного молодого человека, слегка выдохнула.

— Мама, познакомься, это Гриша Мещеряков, а это моя мама.

— Очень приятно, — сказал молодой человек чуть дрогнувшим голосом. И это понравилось Марго.

— Должна бы ответить тем же, но пока не могу, — проговорила Марго.

— Ну еще бы, теща есть теща, — улыбнулась Тошка.

— Все вполне естественно, — сказал Гриша, отодвигая Тошке стул. — Какой матери понравится отдавать свою дочь неизвестно за кого. Но я надеюсь, мы познакомимся и я смогу завоевать ваше расположение, дорогая Маргарита Александровна.

Он хорошо воспитан, отметила про себя Марго, и то слава богу.

— Мама, ты знаешь...

Гриша ласково положил руку на руку Тошки, как бы призывая ее помолчать.

— Извини, позволь я сам скажу...

— Валяй.

— Маргарита Александровна, я понимаю, Тоша еще школу не окончила и ей только шестнадцать, но уж так случилось, любовь с первого взгляда... К тому же у нас очень много общего, мы понимаем друг друга и... Но это лирика. Скажу о себе. Я скоро защищаю диплом на журфаке.

Марго вздрогнула. Тоже журфак...

...Но я не убежден, что буду заниматься только журналистикой... Я зарабатываю на жизнь в одной крупной компьютерной фирме и, возможно, пока этим и буду заниматься. Не хочется быть одним из стаи борзых журналюг, надо сперва ума набраться и опыта, а уж потом заявлять о себе миру...

— Что ж, разумно, — кивнула Марго. Парень ей определенно нравился.

— Что касается Тоши, то моя бабушка поможет ей сдать экзамены за последний класс экстерном. Бабушка ей поблажек давать не будет, хотя и полюбила ее сразу. У нас большая квартира, бабка с дедом... Впрочем, я думаю, лучше вам самой познакомиться с ними.

— Прости, Гриша, а твои родители?

— Мой отец театральный художник, он работает в разных странах, а живет постоянно в Брюсселе, у него другая семья. — Гриша слегка замялся. — С моей матерью... я не поддерживаю отношений... по целому ряду причин. Как это ни прискорбно, я знаю все... Но моя мать Светлана Богословская.

Кровь бросилась в лицо Марго.

— Мамочка, но ведь Гриша не виноват...

— Ирония судьбы, — горько усмехнулась Марго. — Но Гриша и впрямь не виноват.

Было видно, что ребята облегченно вздохнули. Видимо это обстоятельство внушало им опасения.

— Ну, а теперь давайте обедать.

— Мамочка, ты у меня суперская мама! Знаешь, Гришка, как тебе повезло с тещей.

Лев Александрович явно нервничал.

— Левочка, ты зачем меня позвал? У тебя какие-то проблемы? — спросил Даниил Аркадьич, когда они заказали обед.

— Проблем, конечно, хватает, но, по-моему, у тебя их больше. Вот я и подумал, может, поговорим по-мужски?

— Ты о чем?

— О тебе и о Марго.

— Это она тебя уполномочила? — насторожился Даниил Аркадьич.

— Да боже избави, ты что, Марго не знаешь? Но Эличка сказала, ты стал много пить...

— Ах Эличка сказала... — горько усмехнулся Даниил Аркадьич.

— Да, она волнуется, она тебя очень любит, но Марго для нее превыше всего.

— Слушай, Лева, я, конечно, не образцовый муж, но я люблю Марго. Да, я совершил промах...

— Ну, это нельзя так назвать, ты как раз не промахнулся, баба-то залетела...

— Откуда я знаю, от меня или еще от десятка других... Она никогда мне даже не намекала, что этот ребенок от меня. И вообще, мало ли что бывает, уж кому как не тебе это знать.

— Ох, мои курочки так громко не кудахчут.

— Погоди, еще не вечер, напорешься на творческую натуру, она еще на весь мир прокудахчет...

— Да ты что... Творческие натуры не моя стихия. Мне пока еще телесный контакт важнее духовного.

— Тебе можно только позавидовать... А я... Да пойми ты, Лева, я был готов к тому, что Марго меня прогонит, но она мудрая женщина и решила просто не брать эту историю в голову... Но ей не дают... И она постепенно отдаляется, замыкается в себе, а я просто не понимаю, что делать... Вот и пью... Она уже похудела, побледнела, стала нервная, не подпускает меня, ссылается на усталость...

У Льва Александровича зазвонил мобильник. Он схватил трубку и тут же расплылся в глуповатой улыбке.

— Да, солнышко! Ну конечно, как договорились! Найдешь? Я не смогу, примчусь прямо с совещания, а ты меня там жди, как будто дома... Ну постарайся, солнышко. Я тебя целую. И очень люблю, — добавил он томным шепотом.

— Лева, опять шашни?

— Это, брат, не шашни, это, наверное, любовь.

— Это не Аля часом?

Лев Александрович побледнел.

— Откуда ты знаешь?

— Ну, я все-таки не слепой... А как же Римма? Еще не напала на след?

Даниил Аркадьич рад был возможности перевести разговор.

— Нет, я шифруюсь... Знаешь, Аля совсем что-то особенное... У меня таких не было еще...

— А кто тут говорил, что предпочитает телесный контакт?

— В принципе да, предпочитаю, но тут меня зацепило... Ты только не продай меня Марго. Алька ее побаивается... Знаешь, летом мы встречались у нее, а сейчас дочка в город переезжает, так я квартирку снял. Любовное гнездышко.

— Левка, скажи, как тебя на все хватает?

— Сам иногда удивляюсь. И потом Аля не творческая натура, интервью давать не станет, да и я прессе глубоко неинтересен. Так что...

— А я ведь на этой истории погорел и здорово... Меня брали на российский канал, а после скандала отказали.

— Да ты что? Неужто сейчас такие штуки играют роль?

— Не думал, но понимай как хочешь...

— Слушай, зачем она это сделала? Так тебя любит?

— Какая на фиг любовь? Просто дура, и еще считает это божеским делом...

— Дань, скажи, а как она в койке?

— Кто?

— Да Богословская твоя...

— Да уж не помню... — поморщился Даниил Аркадьич.

— А сколько ей лет?

— Слушай, не хочу я о ней говорить, давай лучше о твоих курочках... Или об Але. У вас с ней любовь?

— Черт его знает... Иногда она меня просто бесит. С виду такая скромница, тихоня, интеллигенточка, а иной раз упрется, с места не сдвинешь...

— В смысле не дает?

— Да нет, дает всегда, но мнение у нее, видите ли, свое и вмертвую... А я как-то не привык, меня это раздражает...

— Ты что же, жениться на ней думаешь?

— А как я могу? У меня ж ничего нет.

— То есть? — крайне удивился Даниил Аркадьич.

— Вот то и есть, Римма все на себя перевела, и дом и фирму...

— А ты что думал?

— Да там с налогами заморочки, то, се... Теперь вот пытаюсь насмерть стоять, чтобы она отцовский дом в Финляндии не заграбастала... Она уж подбивает клинья, но я пока держусь.

— Круто! Да, брат, плохи твои дела, не вырвешься. Но с другой стороны, любовь ведь...

— В моем возрасте рассчитывать на бескорыстную любовь как-то глупо.

— Вот с Алей как раз не глупо. Она вполне на такое способна.

— Наверное, но... И потом, знаешь, у меня уже сил нет что-то кардинально менять... Я привык. Поэтому... Пусть все идет как идет.

— А Аля, конечно, ничего не требует?

— Да боже избави...

— А как Верочка? — улыбнулся Даниил Аркадьич, которому Лев Александрович время от времени хвастался своими донжуанскими подвигами.

— Верочка? А я ее уволил уже.

— Как?

— Обнаглела она. Ну ее, я на ее место другую взял, хорошенькая, сочненькая, и такие титьки... Обалдеть.

— Ты ее уже оприходовал?

— А как же! Но она умненькая, свое место знает.

— Это в дополнение к Але?

— Ну да.

— Да, Левушка, ты гигант... Скажи, а Римма, она уже не претендует?

— Слава Создателю, нет. У нее интерес ко мне сугубо коммерческий. Поэтому она вроде бы дает мне свободу... Иллюзию свободы... Ты знаешь, она даже моему шоферу платит, чтобы он на меня стучал.

— Так прогони его!

— Зачем? Он хороший малый, сразу ко мне пришел и рассказал. Я тоже ему плачу, чуть больше, за молчание, ну и разовые вливания делаю. Всем хорошо.

— Странный ты тип, Левка.

— Доживешь до моих лет...

— Не уверен, что доживу.

— С Риммой бы не дожил, а с Марго...

— Левка, ну скажи ты мне, что делать?

— Одно я точно знаю, не пить. А в остальном... Ну сходи к этой лярве, выясни, чего она добивается.

— Она Марго эсэмэски идиотские шлет. Еще до публикации мы ужинали вдвоем, так она прислала сообщение «Твой муж сейчас трахается не с тобой».

— Идиотка! Слушай, а сделай генетическую экспертизу.

— А если окажется, что я отец?

— Будешь отстегивать какую-то сумму и все. А если нет, тогда у тебя вообще руки развязаны... Кстати, если это финт, она наотрез откажется от экспертизы. И все сразу станет ясно.

— Понимаешь, я не хочу вступать с ней ни в какие отношения.

— Тогда бери Марго в охапку, вези куда-нибудь, в Париж, например, устрой ей там медовую недельку, и все наладится.

— Думаешь, так просто?

— Чем проще, тем лучше. Бабы это любят, подари ей что-нибудь красивенькое, навесь кило лапши на уши...

— Лапша-то стоит недорого, а на все остальное у меня может не хватить ресурсов.

— Тогда поезжайте в Финляндию. Там дивный дом, природа, романтики полные штаны, а потратишься только на билеты, сущие пустяки.

— Думаешь?

— А чего там думать, шепот, робкое дыхание, трели соловья...

— Я подумаю.

— Вот-вот, подумай.

Таська была в смятении. Неожиданный и стреми-
тельный Тошкин роман отнимал у нее подругу как раз
тогда, когда она особенно в ней нуждалась, но Тошка
божилась, что между ними все будет по-прежнему,
даже когда она окончательно переедет к Грише. Однако Тася не слишком верила — глаза у Тошки почти
все время были отсутствующие. Она глуповато улы-
балась неизвестно чему... А у Таси были свои поводы
для волнений. Тем более, что в новой школе Тасе не
понравилось... Но однажды ее осенило.

— Слушай, Тошка, ты можешь со мной поговорить? — спросила Тася по телефону.

— Запросто. Что-то случилось?

— Пока нет, но я...

— Знаешь, Таська, мне вчера Ольга Дмитриевна...
Ольга Дмитриевна была бабушкой Гриши.

— С тобой все ясно, — сухо сказала Тася. — До
скорого. — И повесила трубку. К горлу подступил
комок.

Но Тошка тут же перезвонила.

— Таська, прости меня. Что ты хотела сказать?

— Я хотела спросить, твоя Ольга Дмитриевна
не может и мне помочь с экстернатом? — единым
духом выпалила Тася, чтобы Тошка не погрузилась
опять в свою любовную нирвану.

— Ты хочешь сдать экстерном? Но ведь тогда придется вкалывать по-черному, а у тебя еще уроки музыки и Пундя.

— Ничего, школа занимает больше времени, а многие предметы мы могли бы проходить вместе, так будет проще, тебе не кажется?

— Таська, ты голова! Я вечером поговорю с Ольгой Дмитриевной. Это было бы здорово. А твоя мама согласится?

— Если мы будем вместе, да. Потому что если твоя мама не возражает, то и моя не будет.

— Таська, ты... У меня нет слов! Я тебе потом скажу одну вещь...

— Ты залетела? — ужаснулась Тася.

— Нет, что ты. Это совсем другое, но это не по телефону. Хорошо, я поговорю с Ольгой Дмитриевной и позвоню тебе. А что, школа не катит?

— Ну совсем...

— Переросла?

— Откуда я знаю... Училка по литературе говорит «жисть», но дело не в том, просто я задыхаюсь. Сижу на уроках и реально задыхаюсь, а на переменках еще хуже... А скоро должен приехать Андрей, — добавила она дрогнувшим голосом.

— Я тебя поняла. Вечером позвоню, думаю, мы с этим справимся.

— Йес! — воскликнула Тася, повесив трубку, и победно вскинула руку. Я не буду больше ходить в эту дурацкую школу и к тому же я спасла нашу с Тошкой дружбу.

Кстати, именно это и хотела ей сказать Тошка, но согла, что по телефону это прозвучит слишком торжественно.

Аля даже представить себе не могла, что еще каких-то полгода тому назад она жила в заштатном сибирском городке, с трудом сводила концы с концами и ни о чем не мечтала, просто не смела мечтать, и вот в один прекрасный день все так кардинально изменилось. Она смотрела на себя в зеркало и заходилась в радостном изумлении. Конечно, роман с Левочкой тоже добавлял ей красоты. Назвать это любовью было сложно. Странные у них отношения. Одной ей не под силу в них разобраться, но — очередное везение последнего времени — у нее теперь есть Таня, которая давно уже не работает, с трудом и гордостью носит свой огромный живот, но не утратила интереса ни к делам фирмы, ни к роману новой подруги.

— Алька, я что-то не пойму, ты его любишь?

— Сама не пойму.

— Ну, он теперь виагру вовремя пьет?

— По-моему, вообще не пьет.

— И у него все в порядке?

— Да, — покраснела Аля.

— Значит, пьет, но незаметно для тебя.

— Да ладно, какое это имеет значение...

— Ты мне вот что скажи, — допытывалась Таня. — Вот он к тебе приходит и сразу в койку?

— По-разному бывает.

— Вы что-то едите, пьете?

— Тоже как когда.

— Я имею в виду до...

— Иногда он голодный приходит... А что?

— Он спиртное пьет?

— Никогда. Он же сам за рулем приезжает.

— Все ясно.

— Что тебе ясно?

— Значит, пьет виагру. Она со спиртным не действует.

— Тань, откуда такие познания?

— Собственный горький опыт, был у меня один такой. А может, и не один. Кто их сейчас разберет... Но он тебя устраивает?

— Да. Меня устраивает.

— А любовь?

— Что?

— Ты его любишь?

— Говорю же — сама не пойму. Иногда просто задыхаюсь от любви, а иногда вдруг смотрю на него как будто со стороны, и многое меня смущает, настораживает. Он вроде бы умный, тонкий, иной раз просто поражает своей тонкостью, а другой раз — слон в посудной лавке.

— А замуж за него ты хочешь?

— Нет.

— Категорически?

— Конечно! Мне бы пришлось конкурировать с Риммой Павловной, а она внушила ему, что в мире нет лучшей хозяйки.

— Погоди про Кочергу, а он-то, он тебя любит?

— Уверяет, что да. Но я иногда ему верю, а иногда сильно сомневаюсь.

— Нет, Алька, это не любовь! — вынесла вердикт Татьяна. — Тем более в твоем случае. Ты из тех русских баб, что за мужиком в сибирскую ссылку мчатся, если любят... И все сомнения побоку.

— Может, ты и права, — задумчиво говорила Аля. Подобные разговоры у них случались частенько.

— Да, совсем забыла, мне вчера звонила Марго, расхваливала тебя будьте-нате!

— Правда? — воодушевилась Аля. — А что она сказала?

— Ну вот, все тебе расскажи...

— А ты как думала?

— Сказала, что ты на редкость толковая, ответственная, прекрасно ладишь с сотрудниками и с клиентами, что сама уже провела несколько презентаций и более чем успешно. Я даже начала ревновать, вот так! Но мне не понравился ее голос.

— Да, она в последнее время очень нервная, и мне Леночка по секрету сказала, что Марго часто бьет посуду в кабинете.

— Пусть подает ей небьющуюся.

— Говорит, пробовала, но Марго заявила, что ее такая посуда не устраивает.

— Тогда пусть бьет на здоровье, видно, так разряжается. Все-таки лучше, чем орать на сотрудников. Неужели она все еще мучается из-за этой сучки Богословской?

— Данька пить начал.

— Чтоб ее приподняло и прихлопнуло, эту тварь.

— И его не взяли на телевидение.

— А должны были?

— Да.

— Ни фига себе...

— Вообще он как-то поблек, что ли, постарел, и атмосфера в доме тяжелая стала, я рада, что мы переехали.

— А дочка как?

— Да вроде у нее все нормально. В школу пошла, музыкой занимается, к Пундику ходит трижды в неделю. У нее все хорошо.

— А парня не завела? Она ж у тебя красоточка.

— Слава богу, нет. Ей не до того.

— Не до того! Кто их знает, этих мелких? Вон все думали, Тошка никогда не влюбится, слишком умная, а втюрилась и все забыла! Замуж собралась...

— Как замуж? С чего ты взяла? — ахнула Аля.

— Мне Варвара сказала, а ей Марго.

— А почему же мне никто не сказал? И Лева тоже молчит.

— Марго вечно все скрывает. С Варькой они с раннего детства дружат, а мы не удостоены...

— И Таська ничего не говорила... И тетки... странно... Но это же ужасно, в таком возрасте... И кто жених?

— Черт его знает.

— Но Марго его хотя бы видела?

— Видела, говорит, красивый парень из хорошей семьи. Только, Аль, ты уж нас с Варькой не продавай, ладно?

— Конечно... Я сама виновата. Ничего не замечаю кругом — работа, Лева... меня на остальное просто не хватает, — расстроилась Аля. — Черт знает что... Завтра же поговорю с Марго.

— Не вздумай!

— Нет, я просто спрошу, что с ней такое.

— И она ответит, что все в порядке.

— Пусть, но я обязана спросить...

У Элички тряслись руки и глаза были на мокром месте.

— Нуца, скажи, ну как Марго это позволяет? Шестнадцать лет, гражданский брак, ребенок уходит жить в чужую семью, бросает школу... Это как страшный сон. У меня в голове не укладывается. Чем ее там кормить будут? Что за люди там?

— Вот завтра все и узнаешь.

— А как мы будем без нее?

— Рано или поздно это должно было случиться, и кто знает, что лучше — рано или поздно? И потом в наше время в Москве это не так уж все страшно.

— Это уже не наше время, Нуца! Ну, или во всяком случае не мое. Вай мэ, у меня такое чувство, что наступает полярная ночь. Жили-жили, растили — и вот вам, пожалуйста. Зачем мы теперь нужны?

— Будем теперь растить Бешбармака!

— Ты все шутишь! А у самой небось сердце болит.

— Болит, конечно... Но...

— Я не понимаю Марго, как она могла позволить.

— Элико, зачем ты кладешь хмели-сунели в тесто?

— Ой, вай мэ, что я наделала... Видишь, Нуцико, до чего я дошла... У меня уже голова кругом идет... Ох беда, беда...

— Ну, это небольшая беда. Сделаешь новое тесто.

— А это что, прикажешь выкинуть? Ну нет, я сделаю соленое печенье, добавлю соленых орешков, перца, и что-то получится... Нуцико, будь добра, посиди тут, последи за мной, Тошка там расхваливала мой торт, а я могу что-то напортачить.

— Да я уверена, что новое печенье пойдет на ура. И мы назовем его печенье «Беда»...

— Фу, как ты можешь такое говорить... Не надо никак называть...

— Я пошутила.

— Чем так нехорошо шутить, возьми лучше ступку и потолки орехи для сациви...

— Зачем? Ты ведь уже давно пропускаешь их через мясорубку?

— Вах! О чем ты говоришь? Да, для своих я могу немножко облегчить себе задачу, но для такого случая... Придет жених с бабкой и дедом, как такое возможно? Я не желаю, чтобы эта бабка сказала, что Эличка халтурит!

— Да она, может, вообще сациви в рот не берет, а я обожаю, и поверь, что мясорубка ничего не меняет во вкусе.

— Много ты понимаешь! Но если тебе лень, я сама потолку.

— Ладно, черт с тобой, потолку я эти окаянные орехи!

И Нуцико с остервенением принялась толочь в старой ступке грецкие орехи.

— Марго, можно к тебе? — заглянула в кабинет Аля.

— Да-да, заходи, я как раз хотела с тобой погово-рить...

— А у меня тут...

— Алюша, дела потом.

— Слушаю тебя.

У Али упало сердце. Неужто Марго узнала о ее романе, которого не одобряла уже заранее?

— Алюша, я очень хочу, чтобы завтра вечером вы с Тасей пришли к нам.

— Завтра? Хорошо, а... по какому случаю, чей-то день рождения? Я просто еще не знаю...

— Нет-нет, это не день рождения, но я хочу, чтобы вся семья была в сборе.

Аля хотела спросить, будет ли Лев Александ-рович, но не решилась.

— Дело в том, что... Короче, Тошка вроде как выходит замуж. И придут родственники жениха.

— Что значит вроде как? — опешила Аля.

— Именно вроде как. Она уже сошлась с этим мальчиком, и они хотят жить вместе, у его деда и бабки. А жениться официально пока не желают.

— Почему?

— Да там много объяснений, и все, надо ска-зать, достаточно разумные.

— Я не понимаю тебя, Марго...

— Ну, поскольку Тошке нет еще восемнадцати, то им пришлось бы получать специальное разреше-ние, а это унизительно. Я согласна. В конце концов, чем прятаться... Семья, как я поняла, приличная, интеллигентная...

— Но Тошка ведь еще ходит в школу.

— Уже не ходит.

— Боже! — схватилась за сердце Аля.

— Это как раз не страшно.

— Марго, ты с ума сошла?

— Нет. Это разумно. Тошка сдаст экзамены экстерном, бабушка жениха поможет это устроить и вообще поможет с занятиями. Точными предметами с ними будет заниматься Гриша...

— С кем с ними?

— Вот это самое главное. Тася тоже хочет сдать экстерном.

— Как? Почему?

— Не волнуйся так, Алечка. Ничего страшного. Вместе девчонки лучше будут заниматься. Тася просто не хочет терять время в школе. Ей важнее музыка, уроки с Матильдой...

— Никогда! Ни за что!

— Аля, но почему?

— Потому что это не даст никаких знаний.

— Аля, побойся Бога! Если бы девчонки собирались быть инженерами или учеными, может быть, это было бы верно, хотя я тоже сомневаюсь. Но в их случае, а особенно в Тасином, когда ей надо наверстывать то, чего она не знает в элементарной музыкальной грамоте...

Аля покраснела. Марго нарочно сказала это, прекрасно зная, что Аля винит себя в том, что просмотрела талант дочери.

— Я поняла. Может быть, ты и права, — понурилась она.

— Вот видишь, если подумать...

— Знаешь, Марго, я иногда тебя просто боюсь.

— Боишься?

— Да. Ты такая умная, такая современная... У тебя нет предрассудков...

— Если я отчетливо понимаю, что это предрассудки, я борюсь с ними.

— И тебе не страшно за Тошку?

— Еще как страшно! Но мешать ей я не имею права. Мне самой когда-то помешали, хотя я была куда старше Тошки, и ни к чему хорошему это не привело. Я стараюсь учиться на чужих ошибках. В конце концов, если уж она сошлась с этим мальчиком... Как говорит одна моя знакомая: «Чего трусами махать, если все произошло».

— Господи помилуй!

— Алюша, обещай мне одну вещь — ты не будешь ругать Таську. Она боится, что ты ей не позволишь бросить школу...

— Но насчет экстерната это реально?

— Абсолютно, я узнавала. К тому же Тася намерена в дальнейшем поступить в консерваторию, так что аттестат ей в любом случае нужен. Я понимаю, — улыбнулась Марго, — твое учительское прошлое...

— Да брось, не хочу даже вспоминать это прошлое, я сама ненавидела школу, когда там работала... И хорошо, что ты мне об этом напомнила. Ладно, я согласна.

— Вот и чудесно. Так завтра я вас жду. Эличка второй день священнодействует на кухне.

— А если тебе не понравятся эти люди?

— Они мне уже понравились, я вчера была у них.

— И что?

— Прелестные интеллигентные старики и уже души не чают в Тошке. Правда, отца не будет, он живет в Бельгии.

— А мать?

— Мать давно бросила семью. О ней там не говорят.

Лев Александрович вернулся домой усталый и раздраженный. Два его сотрудника подали заявление об уходе, а достойной замены пока нет. Римма Павловна мгновенно поняла, что он не в духе и голоден, поэтому решила приберечь сенсационное сообщение на потом. Однако ей не терпелось, и он спросил, утолив первый голод:

— Ты что-то хочешь мне сказать?

— Да!

— Что-то неприятное?

— Не знаю, все зависит от точки зрения.

— Ну уж выкладывай!

— Похоже, Марго скоро станет бабушкой.

— Что? — поперхнулся Лев Александрович.

— Что слышал.

— С чего ты взяла?

— Сегодня она звонила, сказала, что не может тебе дозвониться, и пригласила нас завтра на ужин по случаю Тошкиной собачьей свадьбы.

— Что?

Римма Павловна объяснила мужу.

— И Марго сказала, что Тошка беременна?

— Конечно, нет, просто я сделала вывод. Если девчонке-школьнице приспичило замуж, значит, она брюхатая.

— Боже мой, ай да Тошка!

— Идиот! Чему ты радуешься?

— Ну, моя племянница выросла, стала взрослой, прелесть что такое. Рановато, конечно, пока детей заводить, но уж коли случилось... Эх, я дурак, надо было ее предупредить.

— О чем это?

— Сказать, что если появится парень, чтоб привела ко мне, я бы его научил...

— Ты научишь!

А еще через час Лев Александрович, трясясь от злости, ворвался к жене.

— Скажи пожалуйста, дрянь ты эдакая, зачем ты выдумала про Тошку? Ничего она не беременна, просто там любовь... А, да что с тобой говорить, ты во всем видишь какую-то пакость. Мне стыдно за тебя! И вот еще что — завтра я поеду к Марго один. Без тебя. Не желаю слушать злобную чушь, которая непременно воспоследует. Все.

— Дааа? Ишь чего выдумал! Марго меня пригласила, и я поеду.

— А вот и нет! Я не желаю!

— Да кто тебя спрашивает! Думаешь, я не знаю, чего ты так взъярился? Боишься выдать себя с твоей провинциальной мымрой? Я все поняла.

У Льва Александровича упало сердце, но он решил держаться до последнего.

— Опять эта чушь! Что ты вбила в свою дурацкую башку?

— Что вбила, то уж не выбьешь, ты меня знаешь!

— Да пошла ты!

— Могу и пойти, только вот ты тоже пойдешь... По миру... Советую не очень-то хорохориться. Кстати, что-то я не вижу, чтобы гонорары твоего папочки...

— А не будет гонораров.

— То есть как?

— А я отдал свою долю теткам. Им нужнее, — соврал Лев Александрович. Гонорары регулярно поступали на его тайный счет. Он давно принял решение, что ни одна отцовская копейка не попадет в руки Риммы Павловны. Пусть у него будет запас на черный день.

— Ты не мог этого сделать!

— Почему? Я их обожаю и хочу, чтобы они на старости лет ни в чем не нуждались.

— А они разве нуждаются? Марго их что, недокармливает? Ладно бы еще Эличка, она хоть хозяйство ведет, а эта Нуцико вообще дармоедка, я бы на месте Марго давно ее сдала в дом престарелых! — выпалила Римма Павловна и ту же пожалела об этом.

Лев Александрович побелел, потом побагровел, на лбу выступил пот.

— Что с тобой, Левочка? — испугалась она.

— Уйди, падла! Какая же ты тварь... И я от всей души желаю тебе, чтобы твоя ненаглядная доченька сдала тебя в дом престарелых.

— Ну, извини, с языка сорвалось. Просто я очень огорчилась, что ты отдал теткам свою долю. А впрочем, я тебе не верю. Ты, видно, просто хочешь тратить эти денежки по своему блядскому усмотрению, на своих девок, на эту мымру. Я все проверю.

— Проверяй, — пожал плечами Лев Александрович.

Как я мог на ней жениться? Где была моя голова? Почему я позволил ей завладеть всем? Но хватит с нее, больше она ничего с меня не слупит. А финский дом я переведу на имя Марго. Все просто и естественно. Буду пользоваться домом сколько и когда захочу, а оформлен он будет на Марго. И как мне это раньше в голову не пришло? И, кстати, надо предупредить Нуцико. Если эта шкура сунется к ней, Нуца сумеет дать отлуп. Пусть проверяет, пусть... Падла... Интересно, она действительно узнала про Алю или берет меня на пушку? Думаю, берет на пушку, я уж так конспирируюсь. Даже Федор ничего не знает. Нельзя расслабляться. Ни в коем случае.

Тошка с утра не находила себе места. Неужели сегодня все наконец станет явным? Тетки умирают от любопытства, но они здорово расстроены. Особенно Эличка. А мама какая молодчина. Кстати, Гришка от нее в полном восторге. Неужели теперь мы все время будем вместе? Каждую ночь? Какое счастье! А как клево, что Таська будет вместе со мной заниматься! Мама уболтала тетю Алю, а я, честно говоря, не рассчитывала. Здорово! Ах, как хорошо, как прекрасно, как восхитительно жить на белом свете! Особенно когда у тебя такая мама!

— Тоша, пойди выведи Бешбармака! — заглянула к ней Нуцико, — я что-то неважно себя чувствую.

— А что с тобой? — испугалась Тошка.

— Ничего страшного, просто давление упало. Я полежу, выпью кофе... Иди, иди, детка!

Какая я скотина, думала Тошка, выгуливая Бешбармака — он за эти месяцы вымахал в здоровенного пса-подростка. Я ведь в первую очередь испугалась, что может сорваться сегодняшняя встреча, а потом уж испугалась за Нуцу... А я ведь так ее люблю... Что же, выходит, от любви люди не только дуреют, но и черствеют?

Из офиса Марго поехала в салон красоты. Я должна сегодня выглядеть ослепительно. Хотя зачем? Кого мне покорять? Некого, просто надо держать фасон. Мне надоела моя усталая расстроенная морда. Так можно черт знает до чего дойти, а ведь Вольник в другой раз не подвернется... Она впервые за последние месяцы вспомнила о нем. Странный был эпизод... Какой-то уж очень киношный — одинокая женщина на грани срыва, невесть откуда взявшийся мачо на мотоцикле, эта сумасшедшая гонка... женщина кричит, ветер свищет, да, для пущего эффекта была еще разорванная юбка... Красотища! А какой секс... Он умный, Вольник. Понял, что ничего у нас не получится... Молодец... А я хочу его видеть? Нет... нет! Нет!!! Я свой выбор сделала, а это все кино...

— Маргарита Александровна, что-то вы личико запустили, или крем у вас неподходящий, или вы нерегулярно им пользуетесь. Кожа вот вокруг глаз совсем сухая... Не годится, так нельзя.

— Да, Майя, я действительно себя запустила, было много работы...

Майя понимающе кивнула, в ее глазах мелькнула жалость. Наверняка весь салон долго обсуждал то сволочное интервью, женщины ее жалели, правда, до сих пор Марго не замечала, а сейчас все было явно... К ней здесь неплохо относились. Я больше не могу, скрипнула зубами Марго.

— Расслабьтесь, Маргарита Александровна, вы прямо комок нервов.

— Сейчас пройдет, трудные переговоры сегодня были.

— Эличка, какой чудный мальчик! — прошептала Нущико сестре на ухо. — Красивый, воспитанный...

— Вах, Нуца, с лица красивый, а что там, в душе... кто знает...

Однако атмосфера за столом сложилась прелестная. Ольга Дмитриевна и Петр Аристархович очаровали все семейство.

— Дорогие мои, — сказал Петр Аристархович, подняв рюмку. — Мы с Оленькой прожили вместе сорок восемь лет, и я не пожалел ни об одном прожитом с нею дне. Вот этого я и желаю нашим юным... новобрачным, что ли? — рассмеялся он. — Не будем кричать это пошлейшее «горько», договорились? Итак, желаю вам долгих-долгих, а главное — счастливых лет. Самое забавное, что я познакомился с Оленькой точно так же, как Гриша с Тошей. И это вселяет в меня надежду!

— Петр Аристархович, а мы не знаем, как ваш внук познакомился с Тошей, может, вы расскажете? — вмешалась Римма Павловна.

Тот взглянул на нее так, что она его тут же возненавидела. Именно так всегда смотрел на нее покойный Александр Афанасьевич. Чуть недоуменно и снисходительно.

— Прошу прощения, но если молодые люди не рассказали об этом, то я не вправе...

— Дед, расскажи просто, как с бабушкой познакомился. Пусть все оценят.

— Вы действительно этого хотите? Извольте. Я не стану утомлять вас долгим рассказам. Но если схематично... Дело было так... Я шел по улице Горького, вечером, довольно поздно, народу было совсем мало, и вдруг услышал какие-то громкие голоса. Оглянулся и увидел следующую сценку — маленькая, удивительно хорошенькая девушка отчитывает каких-то ханыг, что-то они недостойное сделали, по ее мнению. Они грубят, огрызаются, но пока еще добродушно. Мол, слон и моська. Вернее, два слона и моська. А девчушка не унимается. Они разозлились. И стали хватать девушку, она закричала, ну я и не выдержал. Отбил ее, и мы дали деру, благо рядом был Гнездниковский переулок, где я жил. Вот и вся история.

— Тошка, ты что, шпану отчитывала? — поразился Лев Александрович.

— Да. Они слепой женщине нахамили, ну я им и выдала...

— С ума сошла, вах, разве так можно! Нельзя со шпаной связываться! — запричитала Эличка.

— Это Тошка в тебя пошла, — улыбнулась Нуцико. — Ты забыла, как воспитывала Лашико Жгенти?

— Вах, что ты сравниваешь? Времена совсем другие...

Римма Павловна терпеть не могла рассказы тетушек о жизни в Тбилиси и решила перевести разговор.

— Марго, а почему нет Дани?

— У него эфир, — невозмутимо ответила Марго, хотя сама уже начинала волноваться. Он обещал вернуться к семи, а на часах девять. Конечно, он мог застрять в пробке, но тогда он непременно позвонил бы.

Аля мучилась. Она так не любила сейчас Льва Александровича! Трус, подкаблучник, тряпка... Она понимала, что смешно быть к нему в претензии в подобных обстоятельствах, но мог бы хоть взглянуть на нее, улучить момент и сказать глазами: я твой, я все помню, я люблю тебя... Но он предпочитал общаться с девчонками и Гришей. Что-то им веселое рассказывал, они все влюбленно смотрели на него, а эта мерзкая Римма то и дело поглядывала на нее, Алю, словно старалась что-то прочитать на ее лице. Не дождетесь!

В дверь позвонили. Звонок был долгий, настойчивый.

— Наверное, Даня, — предположила Нуцико.

— У него ключи, — пожала плечами Марго.

— Я открою, — вызвалась Тошка. Через минуту она заглянула в столовую. — Мама, это к тебе...

У Марго почему-то мелькнула шальная мысль — Вольник! Она выбежала в прихожую. Там в дверях стоял совершенно незнакомый мужчина, он привел едва держащегося на ногах Даню.

— Дамочка, принимайте вашу недвижимость! Еле добился, куда его везти.

Даниил Аркадьич был мертвецки пьян. Таким его Марго никогда не видела.

— С вас, дамочка, три штуки.

— Что? — не поняла Марго.

— Три штуки, рублями, конечно. За доставку груза. Я таксист и таскать на себе пассажиров даром не нанимался.

Тошка быстро прикрыла дверь в столовую и по-
додвинула стул. Даниил Аркадьич рухнул на него
и осел как мешок.

Марго сунула деньги таксисту. Тот, довольный,
ушел.

— Мама, что делать?

— Давай попробуем отвести его в спальню,
пусть проспится. Хотела бы я знать, с какой радости он так надрался и где его машина.

— Может, дядю Леву позвать?

— Не надо. Сами справимся.

Они вдвоем сумели-таки довести Даниила Аркадьича до спальни, и он, как был, повалился нич-
ком на кровать.

— Простите, девочки, — пробормотал он и тут
же захрапел.

— Мама, что это с ним?

— Думаю, все то же... Тоша, это даже хорошо, что ты отсюда съедешь. У нас в доме
как-то тяжело...

— Мамочка!

— Ничего, маленькая моя, прорвемся! Не бери
в голову. Я справлюсь, я сильная.

— Да, ты у нас крутая дамочка! Мам, скажи...

Но она не успела задать вопрос, в комнату вбежал Бешбармак, обнюхал хозяина и вдруг поднял
лай. Марго и Тошка опешили, а пес стоял и лаял,
злобно щерясь. Такого еще не было.

— Бешка, замолчи! — прикрикнула на него Марго.

Но Бешбармак все лаял. У него вдруг прорезался бас, и звучал этот лай устрашающе.

— Мама, он его укусит!

— Да нет, он просто не любит пьяных. Многие собаки не любят пьяных. Как, впрочем, и я. Замолчи, дурачок, сейчас все сюда набегут. — Она взяла пса за ошейник и потащила к двери. Но он уперся.

— Черт побери, ты пойдешь или нет? — повысила голос Марго.

Ей все-таки удалось выволочь его в коридор.

Тут же появилась Нуцико.

— В чем дело? Что вы сделали с собакой?

— Да ничего, там пьяный сосед явился просить денег на водку, вот Бешка и возмутился, — нарочито громко сказала Марго. Ей не хотелось, чтобы все узнали, в чем действительно дело. Она взяла за руку Нуцико, и они вернулись к столу, и, разумеется, разговор зашел о собаках. Оказалось, что все, включая даже Римму Павловну, любили собак и знали массу собачьих историй.

— А где же все-таки Даня? — поинтересовалась спустя еще полчаса Римма Павловна.

— Застрял в жуткой пробке на Ленинградке. Там какая-то авария... — соврала в очередной раз Марго, с ненавистью взглянув на жену брата.

Наконец, гости разошлись. Аля с Тасей помогли убрать посуду, привести в порядок комнату и тоже уехали.

— А где же все-таки твой муж? — взволнованно спросила Эличка. — Ты не волнуешься?

— Мой муж дрыхнет, пьяный в стельку, просто я не хотела говорить...

— Я так и поняла, — кивнула Нуцико. — Но каков Бешбармак!

— Знаешь, я даже испугалась и едва с ним справилась. У него была такая злобная морда, он так щерился... А он ведь еще щенок. Что будет, когда он вырастет?

По дороге домой Тася вдруг спросила:

— Мама, тебе нравится Римма Павловна?

Аля содрогнулась.

— А почему ты спрашиваешь?

— Мне показалось, что она тебя не любит.

— А почему она должна меня любить? К тому же она всю семью не любит.

— И ее там не любят, да?

— Похоже на то.

— Она чужая какая-то... Как будто с другой грядки... А мы с тобой нет, мы с той же, что и они, да?

— Мне кажется, ты права. Но к чему эти вопросы?

— Мам, разве не естественно, что дочь задает матери вопросы про жизнь?

— Ах про жизнь, — улыбнулась Аля. — Еще есть вопросы?

— Пока нет.

— Тогда я тебя спрошу. Скажи, тебе не страшно бросить школу, сдавать экстерном?

— Совсем не страшно. Я же с Тошкой...

— Я все-таки не понимаю Марго... Как она могла позволить Тошке жить с парнем... в открытую... Ужасно!

— Мама, но ведь лучше в открытую, чем тайком, разве нет?

— Все-таки есть какие-то рамки... Ладно бы поженились, а так...

— Но они же будут считаться как муж и жена... А штамп в паспорте в наше время не обязательно нужен. Просто тетя Марго очень современная и демократичная. Мама, вот скажи мне, а если бы я влюбилась, к примеру, во взрослого мужчину?

— К примеру? Или ты уже влюбилась?

Голос Али звучал так, что Тася решила: нет, ничего я ей не скажу! До приезда Воздвиженского оставалось две недели.

— К примеру, мама, ни в кого я не влюбилась. А вот ты влюблена в дядю Леву, и это видно невооруженным глазом.

— Что за чепуха! — залилась краской Аля.

— Мама, ты совсем меня за идиотку держишь? Я слепая, что ли? И почему ты не можешь мне это рассказать? Ты вдова, я папу почти не помню, я же про твоего Виктора знала, в нашей глухомани ведь не скроешь ничего, а тут ты...

— Да, дядя Лева мне очень нравится, но у меня с ним ничего нет. Да и быть не может...

— Почему?

— По многим причинам, и вообще я устала. Отвяжись от меня.

— Ты просто ханжа, мама!

— Что? Что ты сказала?

— Что слышала! Ты провинциальная ханжа, поэтому у тебя ничего не может быть с дядей Левой! Он просто не станет с тобой связываться, неинтересно, — вдруг вскипела Тася. — Имей в виду, если у меня кто-то появится, я ни за что с тобой не поделюсь! Ни за что!

— Таська, ты с ума сошла! Как ты с матерью разговариваешь?

— Так, как ты заслужила! — отрезала Тася и замолчала.

Аля поняла, что сейчас бесполезно ее воспитывать. Ей было обидно до слез. Но не может же она рассказать шестнадцатилетней девочке, что давно уже спит с Левочкой, что ему с ней очень даже интересно и что она вовсе не ханжа... А впрочем, наверное, все-таки ханжа, по крайней мере в вопросах воспитания. А Марго, Тошка и, пожалуй, Нуцико оказали слишком большое влияние на Таську.

И она даже в душе приняла их сторону. Конечно, вседозволенность привлекает глупых девчонок... И школу вот бросила... А я согласилась... Как я могла? Это Марго... Она кого хочешь в чем угодно убедить может.

До дома они обе молчали, но когда вошли в квартиру, уютную, красивую, Аля ощутила, что не может сердиться на Марго. Слишком много та для нее сделала.

Она долго не могла уснуть. Дочка считает меня ханжой и открыто мне об этом заявляет. Но это все-таки лучше, чем если бы она только думала так. По крайней мере она не боится в открытую со мной говорить. И если у нее вдруг появится кто-то, никуда она не денется, а расскажет мне. Главное, не раздувать этот скандал. Утром надо вести себя как ни в чем не бывало.

Она приготовила завтрак, привела себя в порядок и разбудила дочку.

— Таська, вставай! У тебя сегодня что?

Марго спала в кабинете отца, не столько спала, сколько ворочалась с боку на бок. Наконец, она решила, что с нее хватит, и встала. Побрела на кухню. Все в доме спали. Но на кухне Эличка раскладывала пасьянс.

— Маргоша, что так рано поднялась?

— Не спится. Можно я с тобой посижу?

— Что за вопрос! Хочешь кофе? Или соку?

— Я сама налью. Загадала что-нибудь?

— Конечно.

— На Тошку что-нибудь?

— Нет, у Тошки все будет хорошо, это чудная семья, я успокоилась после вчерашнего. Ты меня больше беспокоишь.

— Почему?

— Ты мне не нравишься в последнее время. Выглядишь плохо... А что насчет ребеночка? Передумала?

— Куда мне, я скоро сама бабкой стану.

— Вай мэ! Тошка беременна?

— Да нет, я теоретически... У Тошки хватит ума не рожать в таком возрасте. Да и мне в моем не стоит. Тем более что Даня...

— Маргоша, ну напился мужчина один раз... Бывает.

— Да дело не в этом, я сама понимаю... Но вообще, после той истории между нами что-то сломалось. Он это чувствует, вот и пьет. Это говорит о его слабости. Я разочарована... И вообще, я устала. Устала всегда быть сильной. Я не такая сильная, как кажусь всем... И это только один человек понял...

— Какой человек? — насторожилась Эличка.

— Один случайный знакомый, клиент, он сказал, что на самом деле я нежнее, чем польская панна, и, значит, нежнее всего.

— Он в тебя влюблен?

— Не думаю. Просто он в чем-то очень тонкий... Хотя по виду и манере поведения этого не скажешь.

— А ты когда с ним виделась?

— Точно не помню, кажется, в начале июня... Он живет не в Москве.

— Марго!

— Что, Эличка, дорогая моя, любимая Эличка, ты думаешь, я в него влюблена?

— Я подумала...

— Нет, я о нем и не вспоминала, а вот сегодня, точнее вчера, вспомнила, сама не знаю почему. Мне что-то скверно...

— Сходи к врачу. У тебя такой возраст... Мало ли что...

— Может, ты скажешь к какому? Физически я в норме, а вот на душе... как-то погано.

— Это естественно, моя золотая. Тошка уходит из дому... И, что бы ты ни говорила, уходит не так, как тебе бы хотелось. И эта история с журналом, как бы ты ни хорохорилась, больно тебя задела. И Даню она пришибла. Вот все вместе на тебя и давит. А к врачу все-таки сходи. Обследуйся.

— Эличка, я ненавижу всех врачей, кроме тебя.

— Но ты уже не в моей компетенции, детка.

На кухню вошел Даниил Аркадьич. Заспанный, небритый, хмурый.

— Привет! Меня обсуждаете? Ну виноват, бывает. Я же не буянил, а?

— Нет, вы не буянили, Даня.

— С какой радости ты так наклюкался?

— Я не помню. Я вообще ничего не помню. Голова раскалывается. Эличка, помогите!

Он повалился на стул.

— Хотите горячего бульона?

Марго вскипела. Вскочила, достала из холодильника бутылку водки, налила ему полстакана.

— На, пей!

— Брезгуешь? Презираешь? Казнишь? Ну, прости, с кем не бывает!

Он опрокинул в рот водку. Марго выбежала из кухни. Ей было противно.

Эличка закрыла за ней дверь.

— Даня, что с вами случилось? Вот, ешьте бульон, мажьте хлеб маслом.

— Вы святая женщина... А напился я потому... А впрочем, какая разница. Скажите, я вел себя пристойно?

— Я не знаю, Даня. Вас привел таксист, вы едва держались на ногах. Марго отвела вас в спальню, и вы сразу заснули. Но Бешбармак был в ярости, он так на вас лаял... А Марго пришлось выгораживать вас перед гостями.

— Ох, черт! Вчера же были гости... Тошкины новые родственники... Да, действительно... Отличился... Я все вам расскажу, только не сейчас, потом, когда голова прояснится... Я должен многое обдумать.

— Хорошо, хорошо, обязательно, а сейчас подите в душ, побрейтесь, вам станет легче.

— А что за родня у Тошки?

Даниил Аркадьич не знал, что Гриша сын Богословской. Марго скрыла этот факт от всех домашних, чтобы у них не возникло предубеждения против Гриши.

Когда Марго заглянула на кухню, Дани там не было.

— Ему полегчало, он уже говорит членораздельно, чувствует себя виноватым... Ох, боже, Марго, я тоже виновата перед тобой, я совсем забыла... Вчера звонила Матильда, просила тебя с ней связаться, а я из-за всех волнений совсем забыла. Она уверяла, что это очень важно.

— Что-то с Тасей?

— Она не сказала. Позвони, спроси. Я тоже подумала о Тасе...

— Сейчас позвоню.

— Марго, я настоятельно прошу тебя приехать ко мне, дело очень важное, не терпящее отлагательств, — с места в карьер начала Матильда Пундик.

— Матильда, дорогая, что-то стряслось?

— Пока нет, но если стрясется, будет уже поздно! Приезжай немедленно.

— Но вы хоть намекните, в чем дело! — взмолилась Марго.

— Не теряй времени, — и она бросила трубку.

Марго страшно перепугалась, мгновенно оделась и, даже не позавтракав, выскочила из дому, поймала машину и только тут сообразила позвонить Таське на мобильник.

Та откликнулась сразу.

— Да, тетя Марго!

— Тась, ты где?

— Дома, сегодня же суббота... А что?

— Скажи, у тебя с Матильдой все нормально?

— Да, я была у нее позавчера, она сказала, что у меня большие успехи и еще фантастическая музыкальная память... А почему вы спрашиваете?

— Да она зачем-то срочно меня вызвала, я испугалась, что это связано с тобой. Но если нет, то... Мало ли что ей понадобилось... Тогда все, маме привет. Пока!

Таська похолодела. А вдруг Пундя прознала каким-то образом про их роман и хочет настучать тете Марго? Хотя тогда она, наверное, настучала бы маме? Да нет... В конце концов, Пундя знает тетю Марго с детства, у них и до меня были какие-то отношения.

— Кто звонил? — спросила Аля, выходя из ванной.

— Тошка, — соврала Тася. Так, на всякий случай.

— Матильда, ради бога, что случилось? — с порога спросила Марго.

— Хочешь кофе?

— Хочу! И если можно, какой-нибудь бутерброд, я не успела позавтракать, и меня слегка мутит.

— Бутерброд? Разумеется. Терпеть не могу подавать пустой кофе. И бутерброд, и мое печенье, и фрукты. Тебе, как я понимаю, тоже не по душе модные штучки с раздельным питанием? Одобряю, ты и так в хорошей форме. Вот видишь, как я тебя ждала?

Стол был накрыт весьма изысканно — старинный фарфор, серебряная сахарница и сливочник, салфетки в фарфоровых кольцах, серебряная сухарница с Матильдиным знаменитым печеньем. Все как всегда. Марго немного успокоилась.

— Пей кофе, бери сыр. Мне моя ученица привезла из Парижа. Ветчину бери. Это, конечно, не та ветчина, какую когда-то продавали у Елисеева, но все же вполне недурная. А ты, верно, и не помнишь ту ветчину... — мечтательно проговорила старая дама.

— Не помню, Матильда, а как Тася?

— Тася? Это мое счастье, такой девочки у меня давно не было, а может, и никогда. Феноменальные способности и никаких фанаберий. Все схватывает буквально на лету. Кто бы мог подумать, что она еще в начале лета не знала ни одной ноты? А какая память... Мать у нее, правда, недалекая особа. Совершенно не понимает, что родила мировую диву.

— Матильда, ну уж сразу...

— Знаешь, Марго, по-моему, я не давала никогда никому повода сомневаться в моих суждениях. Если я говорю, что из нее выйдет мировая дива, значит, так тому и быть. Конечно, с каждым человеком может что-то случиться, но я надеюсь, что с Тасей все обойдется. Ах, как бы радовался Саша, если бы дожил... Ну, ты насытилась?

— Вполне, спасибо, все было, как всегда, великолепно.

— Одну минутку.

Старая дама выплыла из комнаты и вернулась, неся в руках большой желтый конверт.

— Марго, отнесись к моим словам с абсолютной, понимаешь, абсолютной серьезностью. У тебя на работе есть сейф?

— Есть.

— Так вот, ты положишь этот конверт в сейф и вынешь его оттуда, если со мной что-то случится. Я могу его доверить только тебе.

— А что там? — испуганно спросила Марго.

— Ты узнаешь об этом после моей смерти. Причем как только ты услышишь, что Матильда Пундик ушла в мир иной, ты сразу вскроешь конверт. Сразу! Ты поняла?

— Это ваше завещание?

— Нет.

— Ну хорошо, раз вам так хочется...

— Неважно, чего мне хочется. Просто я знаю, что ты ответственный человек, на тебя можно положиться. Поверь, это очень важно.

— Матильда, с вами что-то... не так?

— Со мной все так, просто мне уже много лет и я должна помнить о смерти. Мементо мори. Я надеюсь еще пожить, но... Один Господь знает, сколько мне осталось.

— Да, этого никто знать не может. В том числе и я. Поэтому считаю своим долгом кого-то еще поставить в известность. На всякий случай...

— Ты, как всегда, права. И я была права, поручив это тебе. В таком случае можешь рассказать об этом своей провинциальной курице. Она хоть и курица, но порядочная, по крайней мере. Хотя нет. Не стоит. Скажи об этом Тошке. Она толковая, в тебя. А курице не надо. Не ее ума это дело.

— Будь по-вашему. Но насчет Али вы не правы. Она уже несколько месяцев работает у меня, и

я ею довольна. Толковая, исполнительная и вместе
с тем инициативная.

— И все-таки это не ее ума дело!

— Хорошо, — кивнула Марго, пряча конверт в
сумку.

— Ты сейчас куда?

— Домой.

— Нет, сейчас ты поедешь на работу и спря-
чешь конверт, — властно распорядилась Матильда Пундик.

Марго вышла на улицу. Накрапывал мелкий
осенний дождик. Второпях она забыла зонт. Машины неслись мимо. Конверт в сумке не вызывал
любопытства, но почему-то тяготил ее. Хотелось
поскорее избавиться от него, ей казалось, что он
та последняя пушинка, что вот-вот сломает спину верблюда. Марго решила пойти до офиса пешком, если переулками и дворами, можно добрать-
ся минут за двадцать. Она подняла воротник
пальто и ускорила шаг. На душе было погано.
Она вдруг вспомнила неделю на Майорке, бью-
щую через край радость жизни, любовь, солнце.
И ничего...

— Маргарита Александровна, — удивился ох-
ранник, — вы что, пешком пришли? Да вы мокрая
совсем!

— Миша, вызовите мне такси. Я ненадолго.

Она вошла в кабинет, сняла мокрое пальто, швырнула на стул, быстро открыла сейф, сунула туда конверт и вздохнула с облегчением.

— Маргарита Александровна, они сказали, в течение часа. — Может, вам чайку сделать, а?

— Спасибо, Миша. Не стоит.

— Да вы хоть туфли снимите, мокрые же.

— Да, верно, у меня тут есть другие, спасибо.

— Ну, не буду вам мешать.

Марго скинула туфли. Достала из ящика зеркало. Черт знает что за вид. Я отвыкла жить нормальной жизнью. Дом, машина, офис, разъезды по городу, опять офис, машина, дом. А в доме... в доме плохо. Нуцико как-то сдала... В ночь, когда я утопила коробки с дневниками отца, у нее случился сердечный приступ, хотя она не знала, когда именно я это сделала... Отец... Она все-таки заглянула в одну из тетрадок. И через десять минут отшвырнула ее. Нет, я не стану это читать, сразу решила она. Не хочу! Не нужно этого. Пусть он останется для меня тем, кем был всегда. Но образ его поблек... Она старалась не думать о нем, и в основном ей это удавалось. Но все же она ощущала горечь потери. А Тошка? Какая же я мать, я даже не поговорила с ней по-настоящему, по-матерински, не научила ее ничему женскому, не объяснила... что надо предохраняться и как это лучше делать... Хотя сейчас девчонки все знания, даже такого рода, ищут в Интернете. И все равно я обязана была попытаться. И Данька стал пить, куда это годится? Когда ему отказали на телевидении, он сделал вид, что ему плевать, но я знаю, его это больно, очень больно задело... Раньше он только в редких случаях соглашался вести корпоративные вечеринки, а теперь... Он словно старается доказать мне, что тоже может недурно зарабатывать, но ему это только вредит. Почему какая-то гнусная бабенка одним росчерком пера смогла разрушить мой дом? Значит, дом был построен на песке? И то, что Тошка вышла замуж за сына этой сучонки... Да, мальчик ни в чем не виноват, он славный, умный, способный, и семья хорошая... Но... Это «но» всегда будет мне мешать? Хотя я стараюсь забыть об этом прискорбном факте и у меня даже получается... Но что-то нет сил, совсем, совсем нет сил... И не хочется домой, впервые с тех пор, как в доме поселились Эличка и Нуцико. Раньше, после истории с Димой, я не любила бывать дома, я все старалась куда-то пойти вечером, а потом... Но вот теперь мне и домой неохота, и идти куда-то тоже противно. Теперь у Даньки в глазах будет еще больше вины... А это невыносимо, невыносимо... Чьи это были стихи? Вознесенского, что ли? Не помню... Невыносимо, невыносимо... Черт подери, так нельзя, одернула она себя. Что, собственно, случилось? От чего я так расклеилась? Какая-то

тварь написала что-то о моем муже? Ну и что? Да
она себя выставила на позор. В согрешившего мужика кто бросит камень? А женщине вроде бы не
пристало оповещать мир о своей половой жизни...
Дочка в шестнадцать лет собралась замуж за чудного парня, у них любовь, девочка умная, хорошая,
это что — повод для трагедии? Отнюдь. Она же
влюблена, счастлива, я должна радоваться, а мне
отчего-то плохо... У меня все хорошо, все просто
прекрасно. С мужем проблемы? Да разве это проблемы? Бизнес налажен, заказы сыплются, иной
раз приходится даже отказывать потенциальным
клиентам, так в чем дело? Невыносимо, невыносимо... Мне чего надо, рожна? Просто я избалован-
ная... Хотя кто меня баловал? Я сама? Да, я сама
всего добилась... Я могу собой гордиться и своей
дочкой тоже... Наверное, я просто перенапряглась
и у меня начинается депрессия... Пойти к психоте-
рапевту? Да ни за что... Сплошные шарлатаны, и
даже если не шарлатан попадется, не желаю я чужому дяденьке открывать свою душу, чтобы он
там ковырялся и давал идиотские советы... Единственная подруга, Варька, опять свалила в Париж
к матери. А Аля, при всем моем хорошем к ней от-
ношении, не стала мне близкой... У нее, по-моему,
все же закрутился роман с Левкой... ну и пусть,
меня это совершенно не касается. Эличке я не могу обо всем рассказать, и Нуцико тоже, мне их

жалко... Они старенькие уже, начнут страдать, думать, как мне помочь... А кто мне поможет, кроме меня самой? Значит, я должна что-то с собой сделать, как-то встряхнуть себя, что ли? Но как? Найти Вольника? Переспать с ним? Еще неизвестно, захочет ли он... Он же гордый, вон с тех пор даже ни разу не позвонил, не прислал эсэмэски, а я сама? Ни за что! У него наверняка уже есть новая юная красотка... И она пока не создает ему проблем, как та. Так зачем ему мои проблемы? Ему и своих хватает. Ладно, все не так страшно. Просто я не выспалась, устала, промокла, вот и повесила нос...

— Маргарита Александровна, машина пришла!

— Спасибо, Миша.

Лев Александрович забыл дома папку с важными бумагами и послал за ней Федора. Подъезжая к дому, тот не поверил своим глазам. У калитки прощались Римма Павловна и... Верочка. Он в первый момент даже решил, что обознался. Но разве спутаешь с кем-то такую конфетку? Интересно, что она тут делает? Не иначе решила напакостить хозяину. Надо будет предупредить. Он выждал, пока Вера уйдет, и подъехал к воротам.

— Римма Павловна...

— Да-да, Федя, Лев Александрович звонил, сейчас я вам вынесу папку.

Через минуту она вернулась.

— Вот, возьмите. Да, Федя, что интересного можете сообщить?

— Ну даже не знаю... Вот позавчера Лев Александрович обедал с одной дамочкой, но она такая страхолюдина... И лет ей, наверное, под шестьдесят! А больше ничего такого...

— Допустим. А вы вдову его брата знаете?

— Александру Игоревну, кажется?

— Ну да.

— Знаю. А что?

— С ней он обедает?

— При мне ни разу.

— Так откуда ж вы ее знаете?

— Один раз мы ехали по Остоженке, она там голосовала. Была с дочкой. Мы их подсадили, отвезли на Ломоносовский. Но я про это не докладывал, тут все чисто, Римма Павловна.

— Короче, если они еще раз хотя бы случайно пересекутся, сразу сообщите мне.

— Конечно, Римма Павловна, вы же знаете! — честно глядя ей в глаза, сказал Федор, заранее радуясь щедрому вознаграждению, которое получит от хозяина за сообщение о Верочке. Наверняка он все же завел шашни с этой Алей, хотя даже от меня таится. С того вечера, когда хозяин после ресторана отвез эту Алю домой, но не остался у нее, Федор ее больше не видел. Ох, неугомонный мужик Лев Александрович. Молодец.

Вернувшись в офис, Федор отдал бумаги Льву Александровичу, но поговорить не было возможности. Он решил, что и вечером, по дороге домой, не поздно. Завтра у дочки день рождения, будет ей на хороший подарок.

— Верочка? Вот сука! — воскликнул Лев Александрович. — Брат Федор, как думаешь, чего ей понадобилось?

— Отомстить, наверное. Все ж таки променяли ее на другую.

— Но что она может сказать? Что я с ней спал?

— Хотя бы.

— Неинтересно.

— А может, она вас выследила? Что-то Римма Павловна про Александру Игоревну расспрашивала...

— И что ты сказал? — похолодел Лев Александрович.

В воскресенье утром Аля собиралась на свидание. Ей нравилось встречаться с Левочкой не дома, а в снятой квартире, создавалась некая иллюзия экстерриториальности и меньше мучила совесть. Квартирка была хоть и маленькая, но красивая и чистенькая, а Аля умудрилась даже создать там какой-то уют. Купила два махровых халата, тапочки, красивую посуду, чтобы можно было выпить кофе и перекусить в малюсенькой кухне. Они встречались не так часто, как ей хотелось бы, но она понимала — он уже немолод. Вот и сегодня свидание было назначено на одиннадцать утра. У Таськи в это время урок с Пундей. Они вместе позавтракали, и Таська убежала. Квартиру Левочка снял неподалеку, на Мичуринском. Почему-то он никогда за нею не заезжал, и она решила выйти пораньше, купить цветов и фруктов. Цветы он тоже перестал дарить. Когда приходил к ней домой, частенько дарил, а как снял квартиру, перестал. Ну и пусть, он часто дарил безвкусные готовые букеты. Через полчаса она уже была в их любовном гнездышке. И вдруг он позвонил. У Али упало сердце. Она знала, что Римма Павловна уехала к сестре в Рязань.

— Деточка, ты уже не дома?

— Нет, я на Мичуринском, а ты где?

— Ты понимаешь, какая идиотская история... Я уже сел в машину, хотел выехать, а у меня заклинило дверь.

— Какую дверь?

— Дверцу машины.

— И что?

— Сижу, как идиот, запертый в машине. И вот звоню тебе.

— А вторая дверца?

— Так все заблокированы.

— Разблокируй!

— В том-то и штука, что не получается, черт знает что!

— А ты один в доме?

— То-то и оно.

— Позвони кому-нибудь, вызови спасателей наконец!

— Я уже позвонил Федору, но пока он доберется...

— Скажи ему, чтобы взял такси.

— Ох, я идиот, не сообразил. Сейчас я ему позвоню и перезвоню тебе.

Але показалось, что он врет. Просто не придумал приличной отговорки, наверное. Жаловаться любовнице на дурное самочувствие как-то негоже, особенно когда она его ждет, можно сказать, в постели. Но как глупо придумано... А может, это правда? В жизни иной раз случаются самые причудливые истории.

Лев Александрович перезвонил.

— Ты слышишь, Аленька, теперь еще и сигнализация врубилась, — почти плачущим голосом проговорил горе-любовник сквозь вой сирены. — Ты только представь себе, каково мне тут сидеть, взаперти, под этот вой, и рваться к тебе, моя радость.

— Ничего, на вой сирены могут прибежать соседи.

— Но они же не войдут в гараж... Ворота закрыты.

— Что-то я не пойму, зачем же ты сел в машину, если ворота закрыты.

— Так они пультом открываются, а пульт в машине... Ты что, мне не веришь?

— Верю, — вздохнула Аля, а про себя проговорила: «Верю, верю всякому зверю, а тебе, ежу, погожу». Но тут же подумала: Левочка ловелас с таким стажем и опытом, что вряд ли придумал бы такую чушь, скорее всего, это правда. Но жалости к нему почему-то не было.

В этот день он звонил раз десять, но в результате так и не приехал, сославшись на то, что машина вышла из строя.

— Так возьми такси! — в крайнем раздражении от бездарно проведенного воскресенья сказала Аля.

— Девочка моя, у меня уже нет сил, я так переволновался...

— Герой-любовник! — в сердцах бросила Аля.

Лев Александрович почему-то обиделся.

Всю эту историю с машиной он в общем-то не выдумал, он лишь несколько подкорректировал ее. Он и в самом деле собрался ехать к Але и в самом деле у него заклинило одну дверцу, но он быстро с этим справился, однако подумал, что это знак — не стоит им сегодня встречаться. Римма слова не сказала о Верочке, и ее внезапный отъезд к сестре выглядел подозрительно. Уж не выследила ли Верочка его с Алей? И не ждет ли его Римма у подъезда на Мичуринском? Нет, такого счастья мне не надо, к тому же был знак, что ехать не стоит. Вот он и наворотил черт знает чего. И, похоже, не зря. Римма вернулась под вечер, значит, и впрямь не поехала в Рязань. Черт побери, плохо, когда бабы сплетаются в такой змеиный клубок, совсем скверно. Придется снять другую квартиру или вовсе отказаться от встреч с Алей, очень уж неохота ее подставлять. А как же любовь? Нет, Алю я не брошу. Что-нибудь придумается, надо просто не появляться какое-то время на той квартире, Римма еще последит и успокоится. А что это Верочка так взъярилась? Неужто из любви ко мне? Слабо верится, а впрочем... Эта мысль польстила его самолюбию, по крайней мере Верочка никогда не позволяла себе таких фраз. Герой-любовник! Иронизирует, паршивка. Надо было придумать что-то более героическое, например, что на дороге лежал сбитый человек, я его подобрал, отвез в больницу, милиция, то, се. Она бы меня жалела и уважала, а так... Ладно, надо ее хорошенько трахнуть, и ей будет не до иронии. Он не любил мудрствовать с женщинами.

Даниил Аркадьич был расстроен и зол на Марго. Вчера вечером она стояла у окна, смотрела на залитую дождем улицу и выглядела вконец несчастной. Он подошел к ней сзади, обнял, прижал к себе, а она оттолкнула его.

— Марго, ты же сперва помиловала меня, а теперь казнишь...

— Оставь меня, я устала, — пробормотала она и вышла из комнаты. Он почувствовал, что стал ей неприятен. Ну раз так, наверное, мне лучше съехать. Слава богу, квартиру сдать не успел... Значит, буду опять жить один, в этой жизни тоже есть свои прелести, в сердцах решил он. Поживет одна, может, образумится. Впрочем, маловероятно. Господи помилуй, еще каких-то два месяца назад казалось, что жизнь прекрасна, и вот... В этот момент запищал мобильник Марго. Он машинально взял его в руки. Два непринятых сообщения. Никогда прежде он не позволял себе этого, а сейчас открыл сообщения. Одно гласило: «Тебе мало? Скоро еще получишь!» Отправитель не высвечивался. Второе сообщение мало чем отличалось от первого: «Еще держишься, тварь? Недолго осталось!»

Кровь бросилась в голову. Бедняжка Марго! Он быстро стер эту пакость. Ничего, я разберусь, решил он. Оделся и выбежал из квартиры. Его трясло от злости.

Дверь ему открыла хмурая девочка лет десяти.

— Вы к маме?

— Да!

— Мама на съемках. А я вас узнала... Вы хотите видеть Женьку?

— Женьку? — растерялся он.

— Ну, вашу дочь? Она уже спит. Приходите завтра.

— Погоди, когда мама вернется?

— Завтра.

— Ты что, одна с... Женькой?

— Ну да. А вам что?

— А кто же вас кормит?

— А вы чего, заботиться решили? Не стоит, заботчиков у нас хватает! До свидания.

— Один вопрос.

— Ну?

— У вас в доме есть компьютер?

— А вы что, хотите нам компьютер купить? Зря, мама его все равно выбросит.

— Почему?

— Она не хочет, чтобы мы были компьютерными детьми. И сама ненавидит компьютеры. До свидания.

Он спустился во двор и присел на лавку. Тон девочки неприятно поразил его. Эти эсэмэски без указания отправителя явно посылаются с компьютера, да и вся лексика посланий плохо вяжется со Светкой. Она хоть и конченая блядь, но любит порассуждать о благочестии, о хороших манерах... А с техникой у нее и впрямь плохо обстоит. Конечно, такую штуку легко можно поручить более продвинутой подружке... И все-таки сомнения были. Но кто же тогда? Впрочем, может быть, это совсем что-то другое, что-то связанное с бизнесом Марго? Вполне вероятно. А эта Женька? Неужто она и вправду моя дочь? Может быть, стоит завтра встретиться со Светкой и поговорить начистоту? Хотя разве ей можно верить? Необходимо сделать экспертизу. И если факт отцовства подтвердится... Что тогда? Тогда я буду действительно заботиться о ребенке. Старшая сестра совершенно не воспитанна, говорит чудовищно хамским тоном... Заботчиков хватает... Очевидно, в доме бывает много мужиков, и девочка уже многое, если не все, понимает... Женька пока еще маленькая, но дети быстро растут, да и сестренка надоумит... На улице было отвратительно. Он вдруг почувствовал себя бездомным сиротой. Стало невыносимо жалко себя. Поехать к себе на квартиру? Ох, как неохота... И вдруг его осенило. Надо немного напугать Марго. Пусть поволнуется. Конечно, она будет звонить мне и на квартиру тоже, испугается, ее начнет мучить совесть, а я вернусь часа в четыре утра, скажу, что был на корпоративной вечеринке. Хотя нет, не годится, я не так одет. Скажу, что... Надо придумать что-то трогательное и жалостное... Тетушки просто не дадут ей загнобить меня, если со мной случится что-то эдакое... Решено, я скажу, что меня избили и выкинули из машины, машину угнали, нет, не так. Я сел в машину, мне приставили пистолет к затылку, велели ехать за город, а потом в пустынном месте выкинули из машины и уехали, и еще забрали мобильник. И я пешком и на попутках добирался до города. Придется пожертвовать мобильником и рискнуть машиной. И заявить в милицию об угоне. Что ж, цель оправдывает средства. И если Марго не клюнет на эту историю, значит, нам лучше расстаться. Да нет, она клюнет, обязательно... И вообще, скорее всего, дело не во мне, а в Тошкином уходе из дома. У Марго такой возраст, она наверняка мучается при мысли, что в любой момент может оказаться бабкой, для женщин это всегда трудно, осознать, что молодость ушла... А ведь мы хотели завести ребенка и даже очень старались первое время, но ничего не получилось. Он уже ехал за город, туда, где легко можно сесть на электричку. Машину он оставил в достаточно людном месте, забрал из бардачка документы, запер машину и направился к станции. По дороге вымазал грязью куртку и джинсы. В электричке он тщательно продумывал свою историю, потом пришел к выводу, что некоторая небрежность в деталях будет убедительнее. Когда тебе к затылку приставляют пистолет, тут уж не до логики и деталей. Потом пожалел, что так извазлался, в Москве он будет минут через сорок, а домой, пожалуй, рановато заявляться, пусть поволнуются как следует. Его слегка мучила совесть, но он успокоил ее: это ложь во спасение. Причем во спасение семьи! На следующей станции напротив него села женщина. Молодая, хорошенькая, простенькая.

— Ой, мужчина, я смотрю, вы вроде не пьяный, а как будто в канаве валялись, — кокетливо заговорила она.

— Практически так и было, — охотно откликнулся он. И рассказал ей придуманную для Марго историю.

— Да вы что! В милицию-то заявили?

— А какой толк? Они искать этих бандитов будут? Скажут, мол, вы живы-здоровы, вот и радуйтесь!

— Вообще-то да. Но, может, машину найдут, жалко же.

— Тоже вряд ли. Но я заявлю...

— А вы зайцем едете? — понизив голос, спросила она.

— Зайцем, деньги они тоже отняли.

Глаза у женщины наполнились слезами.

— Ой, бедненький...

Как хорошо, когда женщина такая простенькая, доверчивая... Обручального кольца у нее нет, а глаза ищущие, добрые... Такая будет любить и не мудрствовать лукаво.

— А как вас зовут, милая девушка?

— Лидия. А вас?

— Игорь!

— А вас небось жена дома ждет...

— Да нет, жена отдыхать уехала.

У нее блеснули глаза.

— Знаете, Игорь, я на следующей станции схожу, хотите, зайдем ко мне, почиститесь, покормлю вас, чем Бог послал, а утречком поедете... Если никто не ждет...

А что, может, и вправду пойти с ней? Предложение вполне недвусмысленное, Марго давно к себе не подпускает, а эта Лидочка вполне мила, устал я что-то соответствовать... И впрямь лучше домой утром заявиться... Впрочем, там видно будет.

— Так что, Игорь? Решайтесь!

— Спасибо, Лидочка, если вы так добры... Я с удовольствием.

— Марго, ты поссорилась с Даней? — спросила Нуцико.

— Да нет, ссоры как таковой не было.

— Так где же он?

— Понятия не имею.

— И тебе все равно?

— О чем ты, Нуца? Ну ушел, может, у него эфир, а может, вечеринка в каком-нибудь клубе, вернется.

— Позвони ему.

— Хорошо. Позвоню. — Она набрала номер. — «Абонент временно недоступен». Может, он у женщины.

— Марго, не говори так! И вообще, что с тобой? Ты мне не нравишься.

— Если бы ты знала, как я сама себе не нравлюсь.

— Это из-за Тошки?

— Нет, за Тошку я как раз спокойна. Она умная и сильная.

— Но ей только шестнадцать!

— Нуца, ты хотела, чтобы я запретила ей эти отношения? Она меня не послушается. И потом, она же ушла в семью, в интеллигентную хорошую семью. Так чего копья ломать? Пусть... Обожжется, ей всегда есть куда вернуться.

Зазвонил телефон.

Марго взяла трубку.

— Мама, мамочка, сейчас звонил папа, у него сгорел дом в Малибу! Ты знаешь, там пожары...

— Боже мой! И что? Надеюсь, никто не пострадал?

— Нет, они оттуда съехали, у них еще квартира в Нью-Йорке есть, но сейчас они живут в отеле, папа не может бросить бизнес.

— А ты сказала папе... что вышла замуж?

— Сказала, но не так... Он бы нас не понял... Я просто сказала, что теперь живу вместе со своим парнем.

— Так ему понятнее?

— Мам, ну если б я замуж выходила, он бы удивился, что на свадьбу не позвали... И еще, мам...

— Да, Тошенька?

— Папа предложил, когда я сдам экзамены, а Гриша защитит диплом, приехать к нему в Нью-Йорк, он открывает там филиал своей фирмы и говорит, что Гриша может у него работать...

— И что ты ему сказала? — упавшим голосом спросила Марго.

— Пока ничего, но Гришка так загорелся... Он говорит, это будет классная школа... Мамочка, но мы же не насовсем... — Тошка почувствовала, что мать убита этим известием.

— Мамочка, но это же еще не скоро, пока экзамены, диплом, может, и передумаем еще... — попыталась она смягчить уже нанесенный удар. И кто меня за язык дергал? Просто я привыкла, что маме все можно сказать...

— Да, разумеется, время на размышления еще есть, — в очередной раз справилась с собой Марго. — Ну, как тебе там живется, Тошенька?

— Мамочка, мне так хорошо! Хотя Ольга Дмитриевна жучит нас с Таськой будь здоров, но она нами довольна. Гранит науки не такой уж твердый, если грызть его вдвоем. Ольга Дмитриевна считает, что мы сможем сдать экзамены уже в марте. И вообще, мамочка, я такая счастливая... просто нет слов...

— Да, если уж у тебя нет слов, — засмеялась Марго. — Значит, я тоже счастлива.

— Что-то в голосе счастье не очень слышится.

— Ерунда, я просто устала.

— Мамочка, я тебя так люблю, ты самая лучшая мама на свете.

Марго не сказала тетушкам об американских планах дочери. Зачем их раньше времени расстраивать?

Утром обе тетки забили тревогу.

— Марго, так нельзя, надо заявить в милицию. Мало ли что... — настаивала Эличка.

— В самом деле, детка. Мне как-то неспокойно, на дорогах гололедица, с утра передают, вдруг он попал в аварию? Надо же что-то делать.

— Вы можете на меня сердиться, но я убеждена, что это, так сказать, показательное выступление. Я чувствую, ничего с ним не случилось. Скоро заявится, расскажет что-нибудь жалостное...

— Так уже бывало? — удивленно спросила Эличка.

— Пока нет.

— Почему ты так плохо о нем думаешь?

— Боже мой, я просто сказала, что я по этому поводу думаю, без всяких моральных оценок! — раздраженно бросила Марго. — Спасибо, Эличка, мне пора на работу!

— Детка, зачем ты надела такие высоченные каблуки? — расстроилась Нуцико. — На улице так скользко...

— Я на машине, — уже едва сдерживаясь, ответила Марго.

В этот момент в дверь позвонили.

Три женщины переглянулись.

Звонок повторился. Залаял Бешбармак.

— Кто там? — спросила Эличка.

— Это я, откройте бога ради.

— Даня!

На пороге стоял Даниил Аркадьич, весь в грязи.

— Что это значит? Откуда это ты? — сурово осведомилась Марго. А он-то рассчитывал, что она бросится ему на шею.

— Вы не поверите, со мной случилась просто детективная история. Но ради Бога, сначала глоток кофе...

Непохоже, что он пьянствовал, подумала Марго.

— Даня, сначала в душ, — распорядилась Эличка. — Наденьте теплый халат и приходите завтракать.

Похоже, она совсем не волновалась... Неужто разлюбила меня?

— Маргоша, ты не должна сейчас уходить. С ним явно что-то случилось. Выслушай его, может быть, надо принять какие-то меры. Я очень прошу тебя задержаться и выслушать Даню.

— Хорошо, Нуца. Володя, я спущусь не раньше чем через полчаса, извините, — позвонила она водителю.

Даниил Аркадьич быстренько принял душ, надел роскошный халат, подаренный женой на прошлый Новый год и, выйдя из ванной, сразу ощутил упоительный запах хорошего кофе. Все три женщины ждали его на кухне. Да, подумал он, Лидочка в подметки Марго не годится, но она такая милая и немудрящая. Надо будет непременно еще к ней наведаться. Не все же пить дорогой коньяк, охота иногда и самогонки хлебнуть.

— Ох, какое счастье, что все так кончилось, вчера я уж думал, никогда вас больше не увижу.

— Даня! — всплеснула руками Эличка.

— Что случилось? Говори, у меня очень мало времени.

— Я поехал вчера к Богословской! Хотел кое-что прояснить, но ее не было дома. Я вышел, сел в машину, и вдруг, как это бывает в кино, мне кто-то ткнул чем-то твердым в затылок и прошипел: «Гони на Ярославку, будешь хорошим мальчиком, останешься жив».

— Боже, какой ужас! — перекрестилась Эличка.

— Что мне оставалось? Когда выехали на Ярославку, они стали командовать: направо, налево и так далее, я со страху даже дороги не запомнил. Заехали довольно далеко, свернули на проселок, они отобрали у меня деньги и телефон и велели убираться подобру-поздорову, а сами на моей машине умчались. И я остался один, практически ночью, в лесу... Как в кино, ей-богу!

— Вы очень испугались? — полюбопытствовала Нуцико.

— Что вы! Я был просто счастлив. Они оставили меня в живых, даже не избили, не покалечили! Я был вне себя от счастья. А пока ехал, уже прощался с жизнью. Ну а дальше я пошел по дороге, набрел на железнодорожный путь и по рельсам, вернее по шпалам, побрел куда глаза глядят. В конце концов вышел к какому-то полустанку. Там и дождался электрички. Ехал зайцем. А на вокзале заявил в милицию. Оказалось, что один из ментов слушает мои передачи, и он подбросил меня до дома. Вот такая история.

— Документы тоже пропали? — спросила Марго.

— К счастью, нет. Документы были в куртке, они на них не покушались. Вот такой вот детектив.

— Хотелось бы понять... Если бандиты забрались в вашу машину, Даня, то почему ж они ее просто не угнали? Зачем было ждать вас?

— Дорогая моя Нуцико, это как раз понятно. Если бы они просто угнали машину, я бы тут же заявил об угоне. А угнав ее вместе со мной, они выиграли практически всю ночь. Скорее всего, машина была им нужна для какого-то дела, и, вполне вероятно, они ее уже кинули где-нибудь. Ох, как вкусно, какое счастье, сидеть тут, среди моих любимых женщин, пить кофе...

— Почему вы ничего не едите?

— Не хочется, все-таки стресс нешуточный...

На самом деле Лидочка утром сытно его накормила.

— Значит, в милицию ты заявил? Что ж, сочувствую. Но мне пора.

— Марго, почему ты так? Чем я виноват? Тем, что поехал к Богословской? Я просто хотел сделать экспертизу и еще... Я вчера случайно увидел, что тебе по-прежнему приходят эсэмэски...

— Ты просматривал мою переписку?

— Боже мой, нет. Просто пришло сообщение, я машинально открыл и увидел... Понимаешь, эсэмэски без указания отправителя обычно посылаются с компьютера, я хотел выяснить, есть ли там в доме компьютер... Только и всего.

— Выяснил?

— Да. Компьютера нет. И еще — стилистика этих посланий не Светкина. Это что-то другое. Я очень советую тебе поменять телефон. Хоть на какое-то время избавишься...

— Спасибо за заботу. Все, я пошла. До свидания.

Кажется, все было зря. Жаль, если машину действительно угонят...

— Нуцико, дорогая моя Нуцико, ну скажите вы мне, что это с Марго? Я не понимаю... Неужто она все еще не может простить мне ту пьянку?

— Даня, мне трудно сказать... Но вы зря сказали, что были у Богословской.

— Но почему? Я же честно все сказал, я был там, мне открыла средняя дочка, неприятная, дурно воспитанная и безусловно несчастная, сразу меня узнала, сказала, что Женька, моя предполагаемая дочка, уже спит, я спросил про компьютер и ушел. Вот и все. Какой в этом криминал?

— Даня, ну откуда же мне знать? Это дело мужа и жены.

— А может... У нее появился кто-то другой?

— Не знаю, но не думаю. Марго подавлена, она неважно выглядит, а если у женщины кто-то появляется, у нее глаза сияют.

— Пожалуй, вы правы.

— К тому же Тошкин уход тоже подействовал на нее.

— Нуцико, я не смел говорить на эту тему, Тошка не моя дочь, хотя я очень ее люблю, но вы считаете нормальным отпустить девочку вот так?..

— Марго боялась сломать дочери жизнь.

— А вам это представляется нормальным?

— В данном конкретном случае — да, как это ни покажется вам странным. Да и времена нынче совсем другие...

Марго почему-то не поверила ни одному слову мужа. Уж больно все эффектно получилось. Хотя бывает всякое... Но она нутром чуяла — врет! Врет, чтобы разжалобить меня, чтобы вернуть себе прежний душевный комфорт... А мне противно... Мне вдруг все стало противно... Скажу ему, чтобы уходил... Не могу больше... И какое счастье, что ничего не получилось с ребенком... Я бы не потянула, у меня совсем нету сил...

— Маргарита Александровна! — встретила ее Лена. — Вам тут звонили из Первой Градской...

— Что? — у Марго упало сердце.

— Сообщили, что ночью умерла Матильда Наумовна Пундик!

— Она была в больнице? Я не знала! Телефон оставили?

— Да. Соединить?

— Конечно.

Усталый женский голос сообщил, что ночью «скорая» привезла Матильду в тяжелом состоянии, они пытались что-то предпринять, но напрасно. Она только успела дать телефон и просила известить Марго, когда умрет.

— Но отчего она умерла?

В ответ Марго услышала длинную фразу, напичканную медицинскими терминами, которых она не поняла.

— Я не понимаю. Это что, инсульт, инфаркт, онкология?

— Нет. Это, если говорить на понятном языке, — самовнушение. Она решила, что умрет такого-то числа, и умерла.

— Покончила с собой?

— Нет. Она, конечно, была уже стара, организм изношенный, но вполне могла бы еще годик-другой протянуть. Такие случаи медицине известны. Я поняла, что хлопоты по похоронам возьмет на себя консерватория?

— Да, разумеется, но надо им сообщить, я все сделаю. — Лена, Аля здесь? Позови ее!

— Маргарита Александровна, ее нет, вы же сами послали ее к Варпаховскому.

— Ах да! Хорошо, никого ко мне сейчас не пускай.

Марго открыла сейф и достала желтый конверт. Что же все это значит? Да, Матильда всю жизнь была чудаковатой особой, но чтобы такое учу-

дить... Неужто так бывает — решила умереть и
умерла? Впрочем, о чем-то подобном я читала, даже у Чехова есть что-то на эту тему... Но что же
теперь будет с Таськой? Впрочем, если у нее на-
стоящий талант, пробьется... Интересно, что еще
эта безумная Пундя придумала? Марго вскрыла
конверт. Там лежали еще три конверта, поменьше.
На одном было написано: «Марго». «*Прости, дорогая моя деточка, что обременяю тебя уже после смерти, но ты единственная, на кого я могу
положиться. Заклинаю тебя — выполни мою по-
следнюю волю. Пусть похоронами займется консерватория. Все распоряжения по этому поводу
давно лежат в сейфе директора. Возьми ключи,
которые ты найдешь в конверте, и немедленно
поезжай ко мне на квартиру. Там, в ящике секре-
тера, возьми деньги и купи цветы на мои похороны. Только белые розы. И всем, кто пойдет на похороны, скажи, чтобы других цветов не приноси-
ли. Пусть панихида состоится в Малом зале.
Никаких попов, раввинов даже близко не подпускать, и речей тоже никаких. Пусть играет орган,
горят свечи и поют мои ученики. Квартиру со
всем содержимым я оставляю своей племяннице
из Киева, все это есть в официальном завещании.
Конверт, адресованный Андрею Воздвиженскому,
постарайся вручить ему как можно скорее. Полагаю, он будет на моих похоронах. У него днями*

предстоят концерты в Москве. Второй отдай
Тасе. И бога ради, уговори эту провинциальную
клушу, ее мать, сделать все так, как я считаю
нужным. Тасе это пойдет на благо. Разрешаю
тебе вскрыть оба конверта, чтобы ты не действовала вслепую. Эта мысль пришла мне в голову,
когда я уже заклеила конверты. Извини. Очень,
очень тебя прошу сделать все в точном соот-
ветствии с моими указаниями. Поверь, такой
талант, как у Таси, не должен пропасть. Жаль, я
только с того света смогу увидеть ее триумф,
но пусть она знает — я всегда буду рядом с нею,
буду — пусть это звучит даже кощунственно —
ее ангелом-хранителем. Ведь, кроме всего прочего,
она внучка Саши, человека, которого я любила
всю свою жизнь, хоть и безответно... Да, кроме
денег, которые лежат в столе, я хочу, чтобы ты
взяла себе ту серебряную ладью с Лоэнгрином, которую ты так любила в детстве. Храни ее, а потом передай Тошке. Я совершенно уверена, что
ты все сделаешь как надо, дорогая моя Марго. Тебе начнут говорить всякие глупости о моей смерти. Не верь. Просто мне не так давно приснился
сон, что я больна, неизлечимо, ну ты понимаешь... Я обследовалась, врачи сказали, что все у
меня в порядке. Но я им не поверила. И решила
умереть, я всегда знала, что смогу это сделать.
Нет, я не травилась, не делала уколов, я просто

решила умереть, пока я в здравом уме и твердой памяти, и умерла. Вот и все. Не надо лить слезы, не надо устраивать поминки. Ничего! И заранее спасибо тебе. Постарайся быть счастливой. Если сможешь. Твоя Пундичка».

Ничего себе! Но если она решила умереть, как она попала в больницу? Испугалась и вызвала «скорую»? И почему деньги оставлены в столе, а не положены в конверт? Странно все это... Впрочем, Матильда Пундик всегда была странной. И ведь запомнила, что мне в детстве нравилась эта ладья с Лоэнгрином, ладья в виде лебедя, в которой Матильда всегда держала сухие лепестки роз. Надо действительно туда поехать, пока квартиру не опечатали.

— Лена, Володе скажи, я сейчас выйду.

Оба конверта она взяла с собой. Прочту по дороге, решила она. Обычно Марго садилась рядом с водителем, но сейчас села сзади. Сначала вскрыла конверт, адресованный Тасе. Там было всего несколько слов. *«Тася, девочка моя, прости, что так случилось, но я позаботилась о тебе, о твоей дальнейшей судьбе. Тебе все объяснит Андрей Воздвиженский. И не вздумай слушать свою мамашу, слушай только Андрея, и ты станешь тем, кем мечтаешь стать!»*

Письмо Воздвиженскому было намного длиннее:

«Дорогой Андрей, ты всегда говоришь, что
обязан своей карьерой в основном мне. Это не совсем так, в первую очередь тут постарались твои
родители и Создатель. Впрочем, моя роль тоже
велика. Так вот, я всем, что для тебя свято в
этой жизни, заклинаю тебя — помоги состояться еще одной карьере. Ты помнишь дивную девочку,
что летом пела для тебя? Ты тогда пришел в восторг и сказал, что мечтал бы с нею спеть. Это
Тася, внучка Александра Горчакова... Ты должен
взять на себя заботу о ее карьере! Увези ее в
Италию, я перевела некоторую сумму хозяйке
пансиона в Милане, с которой давно дружу. Ты ее
наверняка помнишь. Там хватит на год-полтора.
Полагаю, дальнейшую жизнь Таси там сможет оп-
лачивать ее мамаша, но она глупая гусыня, прово-
ронила талант дочери и без меня может ее загубить своими страхами и провинциальными
предрассудками. Девочка золотая, с хорошим ха-
рактером, она не доставит тебе особых хлопот,
но ты просто обязан сделать все это ради моей
памяти. Тебе это под силу, я знаю! Прощай, Андрей, у меня было много талантливых, даже гени-
альных учеников, но ты — лучший! И Тася обещает многое, очень многое, не дай пропасть огромно-
му таланту! Вечно твоя Матильда Пундик».

Марго была потрясена, как Матильда, со всеми
ее причудами и бзиками, сумела столь разумно всем

распорядиться? Нельзя эти письма показывать Але. Неужто милая, трогательная Таська и впрямь великий талант? Что ж, Матильде виднее...

Едва она вставила ключ в замочную скважину, как распахнулась дверь соседней квартиры. Выглянула соседка, бывшая прима-балерина театра Станиславского и Немировича-Данченко.

— Ох, Маргариточка, это вы? Как там Матильда? Она что-то просила привезти ей?

Марго хотела сказать, что Матильда умерла, но сочла за благо промолчать, боясь истерики. Старые дамы дружили и враждовали уже много-много лет.

— Да, Анеля Богдановна.

— Но она выкарабкается?

Марго только развела руками.

— Это я вчера вызвала «скорую»... Она была такая бледная и все гнала меня: уходи, уходи прочь, я хочу остаться одна, убирайся вон... Ну, кому охота такое слушать, я и ушла, но «скорую» вызвала, так что если эта старая перечница не умрет, то благодаря мне. Но слышали бы вы, как она ругалась. Маргариточка! Она в реанимации?

— Да!

— И к ней, конечно, не пускают?

— Да, разумеется.

Анеля Богдановна вошла за Марго в квартиру. Брать при ней деньги из стола, а тем более ладью,

Марго очень не хотелось. Мало ли какие потом пойдут разговоры, но в этот момент позвонил Мирослав с вопросом, на который надо было ответить достаточно подробно. Она извинилась перед старой дамой и пустилась в объяснения. Той скоро стало скучно.

— Ну я пойду, Маргариточка!

— Извините, но работа, сами понимаете...

— Да-да, конечно!

Едва дверь за дамой закрылась, как Марго свернула разговор, быстро взяла деньги. Поверх конверта с деньгами лежал листок бумаги, на котором стояло: «*Анелька, лебедя я завещаю Марго! И чтоб не смела разводить пакости, а то я с того света явлюсь и придушу. Твоя Матильда*».

Марго невольно рассмеялась. Вот это предусмотрительность. Отдать эту записку сейчас? Да нет, не стоит, наверное. Марго положила ее с деньгами в сумочку.

На площадке стояла Анеля Богдановна.

— Что это вы взяли? — подозрительно спросила она, указывая на пакет в руке Марго.

— Лебедя, — ответила та.

— Зачем?

— Матильда велела.

— С ума она сошла? Зачем ей в больнице этот лебедь? Нет, я не верю! Поставьте лебедя назад! Иначе я подниму шум и всем расскажу, что вы его украли, пока она лежит в больнице, воспользовались...

— Хорошо, кричите, пожалуйста. Но у меня есть документ, касающийся вас. Вы кричите, кричите, пусть люди увидят, какая вы склочница. А Матильда ночью умерла, я не хотела вас огорчать раньше времени, но уж коль скоро вы обвинили меня в воровстве, то смотрите!

И Марго вытащила из кармана записку.

— Дайте сюда!

— Нет! Матильда хорошо вас знала. Теперь и я знаю. Записка останется у меня, если что, я ее предъявлю.

Анеля Богдановна прочла и побледнела.

— Простите, простите, Маргариточка, я не знала...

Марго поспешила уйти. Ее мутило. Впрочем, вероятно, это выглядело и впрямь подозрительно — не успела Матильда умереть, как я уже явилась за пресловутым лебедем. И, конечно, эта старая дура будет теперь рассказывать обо мне всякие небылицы... Неприятно, черт возьми.

Таська в слезах позвонила Тошке.

— Чего ты ревешь?

— Тошка, Тошенька! Пундя умерла!

— Как умерла? — растерялась Тошка.

— Вот так, взяла и умерла! Что же теперь будет?

— Откуда ты знаешь?

— Тетя Марго позвонила и велела приехать к ней в офис. Я сейчас выезжаю.

— Странно, зачем она тебя позвала?

— Вот и я думаю, зачем? Мне страшно, Тошенька. Как я теперь без Пунди? Что со мной будет?

— Думаю, тебе просто будет немножко сложнее, чем было бы при Пунде, только и всего. К тому же Воздвиженский может что-то придумать. Вот что, Таська, я сейчас убегаю, но как только выйдешь от мамы, сразу звони, договорились? Ох, а как Пундю жалко... — До Тошки вдруг дошло... — Просто жуть...

— Тасенька, детка, мамы сейчас нет, и это даже хорошо, с ней я потом поговорю. Сядь, девочка. Вот, бери конфеты, чаю хочешь?

— Нет, спасибо.

— Тасенька, я понимаю, какое сейчас смятение у тебя в душе...

Таська всхлипнула и полезла за платком.

— Матильда Наумовна позаботилась о твоем будущем.

— Как это?

— Она оставила для тебя записку и письмо для Андрея Воздвиженского, в котором просит его позаботиться о тебе.

Таська вдруг стала пунцовой. Опустила глаза. Уши тоже покраснели.

Так, мелькнуло в голове у Марго. Все, кажется, не так просто.

— Матильда Наумовна оплатила заранее полтора года твоего пребывания в Милане, в пансионе у какой-то своей приятельницы. Разумеется, и мама и я, мы оплатим твое дальнейшее там пребывание...

По щекам Таськи ручейками бежали слезы. Господи, что я несу, подумала Марго, вскочила, обняла Таську, прижала к себе:

— Деточка моя, ну не надо так плакать. Конечно, Матильду безумно жалко, но ее уже нет, и надо, просто необходимо подумать о твоей судьбе. Впрочем, Матильда подумала. Я совершенно не знаю, что за человек этот Воздвиженский и согласится ли он взять на себя то, о чем просит Матильда, но все, абсолютно все, что нужно, мы с мамой сделаем.

— Он... Он... хороший... — пролепетала Таська, глотая слезы.

Марго вздрогнула.

— Тася, ты его хорошо знаешь? Матильда пишет, что ты для него пела, что он пришел в восторг... А почему мы об этом ничего не знаем? Это не всё?

— Не всё! — прорыдала Таська, теснее прижимаясь к Марго. Она почувствовала, что тетя Марго не станет ее ругать, читать нотации...

— Ты влюблена в него?

— Да, и он тоже...

— Вот и чудесно! Значит, он наверняка поможет тебе состояться... У вас что-то было?

— Нет, что вы... Только целовались один раз... И он уехал, он звонит и эсэмэски шлет, но он меня даже замуж звал, вы не думайте, тетя Марго.

— Тась, это он тебе колечко подарил, да?

— Нет! То есть да... А Тошка придумала... как будто я нашла.

— А Нуцико помогла? — улыбнулась Марго.

— Да! Только, тетя Марго, я вас умоляю, не говорите маме, она не поймет... Пожалуйста, не надо, тетя Марго!

— Обещаю. Когда он будет в Москве?

— На днях. У него концерты...

— Вот что, детка, отправь ему сейчас же сообщение о смерти Матильды, ему ведь могли еще не сообщить. Давай, давай!

Таська, глотая слезы, вытащила мобильник.

— Ой, а что писать? Я боюсь...

— Пиши: Андрей, ночью умерла Матильда Наумовна. Оставила для тебя письмо, оно у моей тети. Ну, а дальше уж ты сама.

Таська быстро набрала текст, от себя ничего добавлять не стала. Марго передала ей записку Матильды Пундик. Девочка еще пуще разревелась. Но тут пришел ответ. Она схватила телефон. И прочитала вслух: «*Ужасная весть! Тасечка моя, не бойся, я с тобой, и хорошо бы ты и твоя тетя встретили меня в аэропорту, по дороге сможем поговорить. Я прилечу утром из Мюнхена, у меня каждая минута будет на счету. На похоронах буду непременно. До нашей встречи я все решу. Я люблю тебя, моя маленькая. Держись! Твой А.*».

— Ну что ж, по-моему, все складывается так, как хотела бы Матильда. Она в курсе вашего романа?

— Нет, что вы!

— И мама, разумеется, тоже?

— Тетя Марго, умоляю! Маме нельзя говорить...

— Не волнуйся, я ничего не скажу. Но поставить маму в известность о письмах Матильды и ее распоряжениях я просто обязана.

— О письмах ладно, пусть...

— Обещаю, я сумею с мамой справиться, все будет хорошо. Скажи, а он красивый?

Таська подняла на тетку удивленные, полные слез глаза.

— А вы его не видели?

— Не помню.

Таська полезла в сумочку и вытащила записную книжку, где между страничками лежала небольшая фотография.

— Вот!

— Да, красивый... А не боишься, что мама увидит?

— Нет! У меня тут еще Мария Каллас и Пласидо Доминго.

— Хитрюга какая!

— Тетя Марго, а вы сможете поехать в аэропорт?

— Конечно, это так важно! И я хочу сама во всем убедиться. Этот рейс очень ранний, я надеюсь, мы сможем вовремя попасть в аэропорт. Напиши ему, что мы его встретим и чтобы он не заказывал машину. Мы отвезем его, куда он скажет.

— Тетя Марго, вы... вы... вы самая лучшая на свете! Самая клевая и крутая!

— Ох, твоими бы устами. Ну все. Скоро вернется мама, ты иди, а нам с ней лучше поговорить наедине. Я смотрю, вы с Тошкой, что называется, из молодых, да ранние.

— Ой, а мы уже и сами так про себя говорим! — обрадовалась Таська.

К концу рабочего дня Марго уже едва ворочала языком. Помимо всех других дел, разговор с Алей дался ей очень тяжело и кроме глухого раздражения ничего не вызвал.

— Марго, да как такое возможно? Поручать заботу о девочке чужому мужику! Да Таська ребенок, что значит: она уедет в Милан? Одна?

Или с этим типом? Эта полоумная старуха решила подложить под него Таську? Да будь она про-
клята! Никогда, никогда в жизни я не соглашусь!
Он ею попользуется и бросит... Можно подумать, в Москве ее не выучат! Да может, у нее и
таланта настоящего нет, просто эта ваша Пундя
была совершенно полоумная. Вообразила себе невесть что...

Марго молча слушала ее и только сжимала и
разжимала длинные пальцы. Но в какой-то момент не выдержала и стукнула кулаком по столу.

— А теперь послушай меня.

— Таська не твоя дочь, ты и свою-то выпихну-
ла, не почесавшись, а я так не могу! — уже совершенно вне себя кричала Аля. Марго ее такой еще
никогда не видела.

— Повторяю — послушай меня! Ты можешь,
конечно, орать, сколько влезет, но я не позволю
загубить талант. И вообще, возьми себя в руки!
Я, конечно, понимаю, что Левочка уже староват и,
вероятно, не слишком хорошо тебя обслуживает,
но держать себя в руках все-таки нужно. Или по-
ищи ему кого-нибудь на подмогу!

От тона и слов Марго кровь у Али застыла в
жилах.

— Что ты говоришь? При чем тут твой брат?

— А иначе я не могу объяснить твое поведение,
обычно так ведут себя растревоженные, но недо-

траханные бабенки. А разговор идет о судьбе твоей дочери! И Воздвиженский не тип, как ты выражаешься, а один из крупнейших певцов современности. И благодаря ему Таське будет куда легче пробиться наверх. И не понять это можно, только будучи... полной дурой! Да! И я не стану извиняться за свою резкость, ты ее заслужила!

— Марго, как ты можешь?

— Могу! Когда я тобой довольна, я открыто тебе об этом говорю, а сейчас я так же открыто сказала тебе все, что думаю по этому поводу. Короче, если ты не желаешь принять мою позицию в этом вопросе, дело твое, но я намерена встретиться с Воздвиженским и всячески способствовать тому, чтобы Тася училась в Италии. А не хочешь отпускать ее одну — ради Бога, поезжай с нею! Твоей доли наследства вполне хватит на скромную жизнь за границей, и я всегда, чем смогу, помогу.

— Но как же... Я ведь ничего в музыке не понимаю, что я там буду делать со своим немецким? И потом работа, я ведь бываю тебе полезна...

— Безусловно. И еще сможешь быть полезна, но Тася будет учиться там, где считала нужным Матильда.

— Но почему же она мне ни строчки не написала?

— Видимо, предвидела твою реакцию, — пожала плечами Марго.

— Значит, ты считаешь — так будет правильно? — уже еле слышно проговорила Аля.

— Безусловно. Успокойся, возьми себя в руки и
сделай милость, не устраивай подобных сцен Тасе.

— Да, Маргоша, ты прости меня, я так разнерв-
ничалась, наговорила тебе черт-те чего... Прости,
прости.

— Хорошо. Все забыто.

— Марго, а что ты тут говорила... Про Льва
Александровича... Это ерунда...

— Да я все знаю, Аля. Но ты уже большая девочка.

— Но как, откуда?

— Левка мне признался.

— Я же его просила!

— Имей в виду, Левка очень ненадежный тип.
Ты меня извини, я наговорила тебе много неприятного... Но ты была в истерике, и я просто не знала,
как тебя привести в чувство...

— Да, я понимаю... И не сержусь, ты же хочешь
Таське добра... И ты такая умная...

— Ладно, иди. И не вздумай ругать Таську.

— Да за что ж ее ругать? — как-то потерянно
проговорила Аля.

Домой Марго приехала уже совершенно без сил.
В прихожую выглянула Нуцико.

— Нуца, с Бешбармаком кто-нибудь гулял?

— Да, Даня погулял и уехал на работу.

— А ты почему шепчешь? — невольно перешла на шепот и Марго.

— У нас Римма. Ждет тебя.

— Что-то с Левкой?

— Не знаю. Она сказала, что ей нужна ты.

— Вот только ее мне и недоставало для полного счастья. Я еле жива.

В прихожую вышла Римма Павловна.

— Добрый вечер, Марго! Нам надо поговорить!

— Лева в порядке?

— А что ему сделается? Мозгов уже нет, все в сперму ушли! Он теперь твоим умом живет, а меня это никак не устраивает.

— Может быть, ты сначала дашь мне хоть сапоги снять?

— Да ради бога!

Марго сняла сапоги, медленно помассировала ступни, надела любимые тапочки.

— Маргоша, иди ужинать! — позвала Элико.

— Спасибо, Эличка, сейчас не могу. Я потом сама возьму. Что ж, Римма, идем в кабинет отца, там поговорим. Садись и выкладывай, чего еще ты от меня хочешь?

— Скажи, я ведь жена твоего брата, так?

Тон у нее был такой, что Марго не удержалась:

— К сожалению, это факт неоспоримый. Пока.

— Ах вот что? Ну я так и поняла, что это ты подложила под моего идиота эту вдовицу и теперь планомерно меня грабишь!

— Что, прости?

— Грабишь! Левка, оказывается, перевел на твое имя дом в Финляндии и свою треть отцовских гонораров?

— Да? Как интересно! Впервые слышу! То есть, дом он действительно перевел на меня, хотя я, предвидя подобный разговор, очень этого не хотела. Он буквально умолял меня, говорил, что у него ничего своего нет, а ты в любой момент можешь его выкинуть на улицу, в чем я, честно говоря, не сильно сомневаюсь. А что касается гонораров, первый раз слышу!

— Ерунда! Наверняка с твоей подачи он перевел деньги на этих старых куриц, ваших теток.

— Мне об этом ничего не известно.

— Как же! Так я и поверила! Ты таким образом хочешь сама все заграбастать или эту подстилку сибирскую обеспечить. Ваша семейка всегда меня не любила, но это уж ни в какие ворота не лезет!

— Римма, а за что, собственно, тебя любить? Ты нам человек совершенно чужой, недобрый, корыстный... Леву не любишь, превратила его в половую тряпку...

— А за что его любить, этого козла? Только и
знает, что на каждую юбку кидаться. Ну и вообще,
мне на ваши интеллигентские штучки плевать!

— Скажи, пожалуйста, зачем ты сюда явилась?
Чего добиваешься?

— Я требую, чтобы ты вернула мне дом и гонорары.

— Тебе? А ты здесь при чем?

— Значит, не вернешь?

— Как я могу вернуть тебе то, чего ты мне не
давала? Ты своей жадностью и глупостью довела
Левку до того, что он стал прятать от тебя крохи...

— Ничего себе крохи! Да если хочешь знать, я
просто стараюсь сохранить имущество семьи, чтобы этот старый мудак не распылил все по своим
девкам!

— Вот и чудесно! Ты будешь сохранять дом и
фирму, а я дом в Финляндии, только и всего. А что
Левка по бабам бегает, вероятно, ты его никак не
устраиваешь.

— Можно подумать, ты устраиваешь?

— Но я его сестра и не сторонница инцеста.

— Какой инцест? Твой муж каждую третью бабу окучивает, сейчас вот наверняка с кем-то трахается, ничего, скоро еще какая-нибудь киска разра-
зится мемуарами... Поимеешь такое удовольствие,
не сомневайся! Так что ты ничем не лучше меня.
Только гонор один!

— Римма, скажи, это ты мне эсэмэски шлешь? — вдруг осенило Марго.

— Какие еще эсэмэски? — покраснела вдруг Римма Павловна.

— Лучше признайся, и я закрою дело.

— Какое еще дело?

— А меня они достали! И я обратилась в милицию, там обещали разобраться. И если разберутся, а я им теперь могу помочь, как говорится, дам след... Я даже отдала им свой телефон, пришлось новый купить. И все, что ты посылала в последние два дня, уже у них. Разумеется, если б я могла заподозрить, что это ты, я бы не стала выносить сор из избы, но раз уж так повернулось, что ж, пусть. У меня там знакомые, они сумеют подобрать статью, посадить тебя, скорее всего, не посадят, но уж за моральный ущерб я сумею с тебя взыскать, и я очень сильно сомневаюсь, что Левка останется с тобой после такого скандала, а я уж смогу его так раздуть... Мало не покажется.

Разумеется, Марго блефовала, но Римма Павловна была совершенно уничтожена.

— Ну, признаешься?

— Да, это я посылала тебе... Потому что я хотела, чтобы ты призвала к порядку своего мужа, только и всего! А говорить тебе напрямую... Я же пробовала, но ты мне не поверила. А потом я заигралась... Извини. И не нужно, как ты выражаешься, выносить сор...

— Я подумаю.

— Марго, я же хотела как лучше... Ну, прости меня!

— Мое прощение тебе не нужно, а заявление я заберу, только у меня есть два условия.

— Хочешь, я возмещу тебе моральный ущерб? В какую сумму ты его оцениваешь?

— Не нужны мне твои деньги. Ты сейчас напишешь признание. Вот бумага, ручка, пиши!

— Зачем?

— Чтобы потом вони не было! В случае чего я дам этой бумаге ход!

Римма Павловна была белее мела.

— А что писать?

— Пиши: Я, такая-то, признаюсь в том, что регулярно посылала сообщения СМС на телефон Маргариты Александровны Горчаковой с целью доведения ее до самоубийства!

— Нет, я это писать не буду! Ну, про самоубийство то есть.

— Ладно, тогда просто так пиши: желая потрепать ей нервы.

— Хорошо, про нервы можно. Вот, готово.

— Распишись, расшифруй подпись и поставь число. Давай сюда. И теперь второе условие:

— Ну?

— Ты никогда больше не будешь появляться в нашем доме, ни одна, ни с Левой. Никогда! И не посмеешь препятствовать его визитам к нам.

— О, да я сама больше не переступлю порог вашего поганого дома, терпеть всех вас не могу!

— Вот и договорились! А теперь пошла вон! И помни про расписку! Я ее нотариусу отдам! Иди-иди, тебе здесь больше нечего делать!

Римма Павловна, бледная как полотно, выбежала вон из квартиры, провожаемая истошным лаем Бешбармака.

— Марго, прости, я все слышала! Какая ты умница! — обняла ее Нуцико. — Знаешь, я не люблю подслушивать, но тут не удержалась...

— Нуца, скажи, а Левка действительно перевел деньги на ваш счет?

— Нет, детка, он просто предупредил меня, чтобы я, если Римма спросит, сказала, что да. Но нам вполне хватает денег, ты не думай...

— Да, с кем поведешься, от того и наберешься. Но, все к лучшему в этом лучшем из миров, больше она у нас не появится.

— А ты и вправду заявила в милицию?

— Конечно, нет, делать мне больше нечего. Но такие, как она, понимают только такой язык... Нуца, у меня совсем, ни капельки сил не осталось.

Тетка обняла ее, поцеловала.

— Идем к Эличке, тебе надо поесть...

В этот момент в комнату вбежал Бешбармак, встал на задние лапы, передние положил на плечи сидящей Марго, лизнул ее в лицо и заскулил.

— Он тебе сочувствует, Марго, он такой умный...

Марго хотелось разреветься, но не получилось. Она обняла пса, поцеловала в смешную морду.

— Вот Бешбармак нам родной, а Римма чужая! — вынесла вердикт Нуцико.

— Маргоша, не надо целовать собаку, мало ли где она бегает! — посоветовала Эличка, уже потерявшая терпение.

Марго послушно поплелась на кухню.

— Девочка, что с тобой? Почему не кушаешь?

— Эличка, родная, не хочется.

— Ты что-нибудь сегодня кушала?

— Не помню. Но нет аппетита.

— Маргоша, так нельзя, у тебя будет язва желудка, ну хоть бадреджаны попробуй!

— Элико, не приставай к ней! Она посидит с нами немножко, расслабится и потом поест. Тебе сегодня досталось, детка? — погладила ее по голове Нуцико.

— Досталось, но не столько мне, сколько от меня.

— Так этой злыдне и надо. Кстати, Элико, Римма у нас больше не появится! Радуйся!

— Ты ее выгнала, Марго?

— Да, но дело не в ней, я Але черт-те чего наговорила. Нельзя было так...

— Ничего, извинишься.

— Я уже извинилась. Но все равно... Нехорошо, мне стыдно...

— А в чем дело? — осторожно осведомилась Эличка. — Что-то на работе?

— Нет, — и Марго вкратце рассказала теткам о письмах Матильды Пундик.

— Ты все правильно сделала. У меня вообще такое ощущение, что Але всегда не до Таськи. Конечно, новый город, да еще такой, как Москва, новая работа, но у нее же есть где жить, есть на что жить, все не так страшно, а девочка все-таки заброшена. И они не понимают друг друга. Я не права?

— На сей раз, как ни странно, ты, Элико, права! — заметила Нуца. — Алю надо выдать замуж, тогда она успокоится. И может быть, вспомнит, что у нее дочь — большой талант. Невероятно способная девочка, все впитывает, как губка. Но все, что она знает и любит, это не благодаря матери, а вопреки! Я приучила ее читать стихи — вкус безупречный!

— Дорогие мои, вспомните, что такое было жить с Сережей! На сущие копейки в этом их захолустье. Какие стихи? Слава Богу, что она еще не набралась всякой дряни, и на том спасибо!

— Марго, ты самая добрая девочка, — погладила ее по руке Эличка.

Марго машинально протянула руку за блинчиком с мясом, откусила, и на лице ее разлилось блаженство.

— Господи, Эличка, как вкусно! Обычная штука, блинчики с мясом, но у тебя это кулинарный шедевр!

— Вот и хорошо, вот и поешь, детка!

Утром Володя приехал за Марго в половине восьмого, предварительно заехав за Таськой. У девочки лихорадочно блестели глаза, горели щеки.

Марго села с нею сзади, обняла ее.

— Ну как?

— Тетя Марго, вы чудо! Мама на все согласилась, я, правда, ей не сказала, что мы едем его встречать... Сперва подумала, может, сказать и даже позвать маму с собой, но решила, что лучше вы...

— А что ты сказала маме?

— Ничего. Она еще спала, я оставила записку, что поехала к Тошке заниматься...

— Кстати, как ваши занятия?

— Ой, так здорово! Ольга Дмитриевна столько всего знает, так классно умеет рассказывать, просто супер!

— Мама вчера была расстроена?

— Да нет, она с работы поехала к Татьяне, вернулась поздно и сказала, что согласна, чтоб я уехала, но не раньше, чем сдам экстерном.

Понятно, подумала Марго, вчера Аля кинулась к Татьяне жаловаться на меня. Но та, видимо, тоже вправила ей мозги.

Потом Таська умолкла, она смертельно волновалась перед встречей. Марго не стала ее сбивать с настроения, ей тоже было о чем подумать. Только уже войдя в здание аэропорта, она тихо сказала Тасе:

— Только не вздумай бросаться ему на шею! Тут могут быть репортеры, он личность известная и потом грязи не оберешься. А еще лучше, пойди посиди в машине.

— Тетя Марго!

— Я сразу-то не сообразила, что он у нас звезда. Не надо тебе раньше времени попадать в кадр с ним.

У Таськи глаза налились слезами.

— Тася, поверь, это в твоих интересах! Я скажу ему, что ты ждешь в машине, он все поймет.

— Хорошо, — тяжко вздохнула Таська. — Ой, а можно, я только увижу его и сразу убегу в машину, а?

— Тась, это можно, но не нужно, поверь.

— Ну, я пока самолет не прилетит, побуду с вами?

Но тут объявили, что самолет из Мюнхена совершил посадку.

Марго обняла Таську.

— Марш в машину.

— Ой, тетя Марго, я лучше постою совсем в стороночке, посмотрю только на него и тогда бегом в машину, ладно?

— Ну что с тобой делать? Ладно, но не ближе, чем на десять метров.

— Конечно!

Марго обернулась и вправду не заметила Таськи. Какая я старая стала, уже не в состоянии понять, что можно чувствовать в шестнадцать лет в такой ситуации... Я живу по инерции, я, похоже, никого не люблю, то есть люблю дочь, теток, эту милую Таську, Левку, несмотря ни на что, но эта любовь не дает крыльев, не заставляет потерять голову... А я вообще когда-нибудь теряла голову от любви? Нет, наверное. Значит, вовсе не любила, только думала, что люблю? Диму любила, казалось, что любила... Даньку любила... Да нет, если бы любила, все было бы иначе... А может, сейчас вообще любовь неактуальна? Секс — да, но это просто физиология... Девчонки влюбляются, вон что с Таськой творится... Тошка... Мне казалось, она не сможет, а она влюбилась, да еще как... Счастливые... У меня просто уже нет сил на любовь, выдохлась... Ну и бог с ней, буду жить, как живется...

Воздвиженского она узнала сразу, он выделялся из толпы. Высокий, широкоплечий, невероятно элегантный, он искал кого-то глазами. Марго шагнула к нему.

— Андрей Станиславович? Я Тасина тетя...

— Очень приятно. Но где же Тася?

— Она в машине. Я подумала, что не стоит ей пока появляться рядом с вами.

— Боже, вы правы, я не подумал об этом, благодарю вас. Но как ваше имя-отчество?

— Маргарита Александровна. Идемте!

Тут же к Андрею кинулся какой-то прыщавый юноша с фотоаппаратом.

— Господин Воздвиженский, один вопрос!

— Никаких вопросов! — Он энергично взял Марго под руку и прибавил шагу.

— Господин Воздвиженский... — парень побежал за ними следом.

— Как вы были правы, Маргарита Александровна, но, боюсь, теперь где-нибудь появится ваша фотография...

— Ерунда, меня это не пугает. Я думала, будет хуже.

— Да нет, оперные певцы в России не столь уж лакомая добыча для папарацци. Скажите, отчего умерла Матильда Наумовна?

Марго в двух словах объяснила ему.

— Да, она всегда была чудачкой. И всегда была верна себе.

— Возьмите, это письмо к вам.

— Спасибо, я потом прочту.

— Вот мы и пришли. Садитесь назад, там Тася.

Он открыл дверцу, раздался громкий визг
Таськи:

— Андрюша!

И все смолкло. Марго шепнула водителю:

— Володя, я потом все объясню. Но Александ-
ре Игоревне ни слова!

— Да разве я когда-нибудь...

— Нет, я так, на всякий случай.

— Куда едем-то?

— Ах да! Андрей Станиславович, куда вас отвезти?

— В консерваторию. Я договорюсь о похоронах,
хочу непременно спеть... И туда мне пришлют машину. Тася пойдет со мной. Потом я ее отвезу, куда вы скажете. Я представлю ее ректору, на всякий
случай. И еще — Тася тоже должна спеть во время
панихиды.

— Я? — взвизгнула Таська. — Да ни за что на
свете! Я не умею, я боюсь.

— Никто и не ждет твоих умений. Но похороны
еще послезавтра, подготовишься. Ты последняя
находка Матильды и обязана спеть. И заявить таким образом о себе.

Он говорил жестко, непререкаемо. Силен, подумала Марго.

— Но я же просто опозорюсь! Как я могу петь в
консерватории? Что? — в голосе Таськи звучала
паника.

— Мы решим, что ты будешь петь. Маргарита Александровна, вы не считаете, что это необходимо?

— Пожалуй. Впрочем, вам виднее!

— Я прошу меня извинить, но я сейчас прочту письмо.

В зеркале Марго увидела, что Таська забилась в угол машины, бледная, несчастная.

Если думать о карьере певицы, то такой человек ей и нужен. Я уверена, что он заставит девчонку выйти и спеть. И сразу хочет представить ее ректору. То есть привлечь внимание к ее особе... Но что я скажу Але? Впрочем, зачем мне что-то говорить? Теперь пусть он занимается всем дальнейшим.

— С ума сойти, — проговорил Воздвиженский растроганно. — Мне иной раз казалось, что Матильда если не сумасшедшая, то по крайней мере сумасбродка... Но так разумно все устроить... Потрясающе! И я, разумеется, сделаю абсолютно все. Тася, у тебя есть заграничный паспорт?

— Нет.

— Необходимо сделать. Маргарита Александровна, скажите, сколько времени это может занять?

— Полагаю, за месяц это возможно.

— А если... простимулировать?

— Не знаю, впрочем, думаю, можно. Но к чему такая спешка? Тасе надо еще сдать экзамены...

Она не кончила школу... впрочем, вы, вероятно, в курсе?

— Я в курсе, с этим мы разберемся. Кому нужен аттестат в данном случае? Просто у меня страшно мало времени. Из-за похорон я отменил запись, но это неважно, я смогу вырваться в Москву только еще через три недели на один день и хотел бы уже увезти Тасю. У меня как раз несколько спектаклей в Милане, и я мог бы устроить Тасю в пансионе, я его знаю, чудное местечко, и показать ее педагогам. Вы не подумайте ничего дурного, я сейчас занимаюсь разводом, и, полагаю, через год мы сможем пожениться.

— Ой, мамочки! — простонала Таська.

В Малом зале консерватории яблоку было негде упасть. И дело, понятно, было не в Матильде Пундик, а в том, что стало известно о выступлении Воздвиженского и еще нескольких звезд мировой оперы.

Марго приехала с Тошкой, Тасей и Алей, которой она ничего не сказала о том, что Таська будет петь. Девочка побыла с ними и через пять минут растворилась в толпе.

Тошка, разумеется, тоже куда-то слиняла. Аля же пребывала в раздражении. Ей пришлось отменить свидание со Львом Александровичем. Марго настояла на том, чтобы она отдала последний долг педагогу дочери.

— Марго, но я же ее и видела-то всего два раза, что мне там делать?

— Аля, я настаиваю! Это огромная потеря для Таси, и она должна знать, что мама рядом с ней в такую минуту.

— Незаметно что-то, что она так уж скорбит, вчера вернулась поздно, возбужденная, веселая даже.

— Тем не менее.

Але пришлось согласиться. Марго, конечно, встретила множество знакомых, все были потрясены тем, как умерла Матильда Пундик.

Звучал орган, зал был украшен белыми розами, хотя многие, естественно, пришли с разными цветами, но они лишь подчеркивали строгость и красоту убранства. Выходили ученики и пели. Речей не произносилось, и аплодисментов тоже не было. Наконец вышел Воздвиженский. Спел. Боже, какой голос! Неужто Таська отважится петь после него? Надо было ее выпустить раньше, испугалась Марго. Или она просто отказалась? Он закончил. Но не ушел, как другие, а поднял руку, давая понять, что хочет что-то сказать.

— Господа, Матильда Наумовна не хотела речей, но полагаю, одобрила бы то, что я сейчас скажу. В последние полгода ее жизни у нее появилась новая ученица, девушка совсем юная, но чрезвычайно одаренная, Матильда Наумовна возлагала на нее большие надежды, и я сейчас представлю ее на ваш суд. Впрочем, оговорюсь — судить об этой девушке рано, она только-только начинает.

Аля вдруг схватила Марго за руку.

Марго прижала палец к губам.

— И еще, господа, запомните это имя, Таисия Горчакова. Да-да, это внучка нашего великого композитора. Итак, Таисия Горчакова.

Аля была близка к обмороку.

Воздвиженский сел за рояль. И тут на сцену вышла Таська. У Марго вдруг оборвалось сердце. Как она похожа на свою бабушку Этери... Тоненькая, в черном, предельно скромном платье. Господи, неужели она решится петь перед этой, в основном очень искушенной публикой?

— Откуда у нее это платье? — прошептала Аля.

Воздвиженский заиграл вступление. «Аве Мария» Шуберта. Аля так вцепилась в руку Марго, что та охнула от боли. И тут же замерла. Голос девочки звучал так, что сердце Марго переполнилось счастьем. Такое с ней было лишь однажды, в Венской опере, она забыла сложную славянскую фамилию певицы, но сейчас испытала то же самое. Марго понимала, что Таське еще не хватает школы, но это было не важно.

Таська допела до конца, неумело сделала книксен и буквально умчалась за кулисы. И вдруг после некоторой паузы зал разразился аплодисментами, казалось бы, неуместными в такой ситуации, но очарование юной певицы было сильнее условностей.

— Марго, ты знала, да? Ты знала, что она будет петь? — рыдала рядом Аля. — Почему же она мне не сказала, почему ты промолчала?

— Я понимала, что ты будешь чудовищно волноваться, а уж почему смолчала Таська... может, по той же причине, — сжалилась над Алей Марго. — Ну, идем же к ней!

Выступление Таси было последним. Несколько мужчин, в том числе и Воздвиженский, подняли гроб и понесли к выходу.

— Идем же, Аля! — Марго взяла ее за руку и повела за собой. Навстречу им шла Тошка.

— Куда вы пропали? Воздвиженский не велел ехать на кладбище. Поминок не будет. Он велел увезти Таську домой, а в семь часов заедет к вам, тетя Аля. Будет серьезный разговор. Вот! Но как она пела, тетя Аля!

Тошка провела их к Таське. Та сидела одна в полной прострации.

— Таська! Ты такая... Ты просто чудо! — накинулась на кузину Тошка. — Это было так классно! Все просто обалдели!

— Да? Я ничего не помню... Меня Андрей вытолкал, сказал: надо! Я и запела... Ой, мамочки, так было страшно! Мама, ты слышала?

Аля с глуповатой улыбкой обняла дочь, прижала к себе и только шептала:

— Прости, прости, прости!

Марго решила взять дело в свои руки.

— Тася, ты сегодня что-нибудь ела?

— Да что там она ела! — всхлипнула Аля. — Клюнула что-то... А хорошо, что я не знала, я бы с ума сошла.

Они вышли через черный ход. Тошка замотала Таську пестрым шарфом, и они бегом бросились к машине. Воздвиженский не велел Таське ни с кем разговаривать. Марго и Аля медленно шли следом.

— Теперь ты поняла? — спросила Марго.

— Да... Но все-таки, разве обязательно уезжать?

— Матильда считала, что да. И Воздвиженский так считает.

— Но она же влюбится в него, он такой... А она девочка еще совсем, глупенькая...

— Аля, он не даст ей погубить талант. Он умный, целеустремленный, прекрасно знающий конъюнктуру и просто хороший, порядочный человек.

— Откуда ты можешь это знать?

— Я знаю!

— Но тогда я поеду с ней!

— Только в том случае, если она сама того захочет и если Андрей сочтет это целесообразным.

— Но я же мать!

— И что?

— Марго, не будь такой жестокой!

— Это не жестокость, а здравый смысл. Если ты поедешь с ней, от тебя там никакого толку не будет. Без языка, без привычки к европейской жизни, ты будешь просто гирей. В Таськином возрасте язык усваивается мгновенно. В твоем — сомневаюсь. К тому же тебе там будет плохо, одиноко...

— А если она будет с ним спать?

— Такое не исключено.

— Но ей еще рано! А если залетит?

— Скорее она залетит от какого-нибудь здешнего парня, ведь если она захочет с кем-то переспать, ты ее своими моральными принципами не остановишь. Так что по-любому лучше Воздвиженский.

— У тебя нет ничего святого!

— А для тебя главная святыня — Таськина девственность? А ты убеждена, что она еще девственница?

— Да!

— Дай тебе Бог!

— Ты что-то знаешь? Да?

— Только то, что в наше время девушка в шестнадцать лет, к сожалению, большая редкость.

— А что в этом хорошего?

— Я не даю оценок, я констатирую факт.

На другой день утром Аля пришла в кабинет Марго.

— Маргоша, прости меня. Я действительно дура провинциальная. Андрей вчера просил у меня руки Таськи, он, правда, еще не развелся, но уже разводится, у него самые серьезные намерения, и он нарисовал такие перспективы... А ты была права, Таська не захотела, чтобы я с ней ехала... и я поняла, что Андрей тоже против... Она не любит меня. И есть за что.

— Ерунда! Она, конечно, тебя любит и, как только уедет, начнет скучать. Просто ты невольно все время мешала ее природным устремлениям. Она давно хотела петь... А как только она поймет, что ты ей не помеха, что ты не олицетворение моральных принципов глухого провинциального городишки, а просто любящая мать, все встанет на свои места. Вот увидишь, через полгодика ты поедешь к ней, и, если не начнешь читать нотаций, вы станете лучшими подружками.

— Ох, твоими бы устами да мед пить.

— Но тебе полегчало?

— Да.

— Тогда иди и работай! Лена, соедини меня с Русским радио.

К концу рабочего дня Марго чувствовала себя совершенно разбитой. Ехать домой не хотелось.

У нее не поворачивался язык сказать Дане, чтобы он уходил. Он теперь спал в кабинете, они почти не разговаривали, и она надеялась, что он сам сообразит. Его присутствие тяготило ее. Тетки же его жалели. Нуцико попыталась вразумить ее, но Марго ушла от разговора. Он пил, не напивался больше вдребодан, но пил регулярно, дома бывал редко. Марго чувствовала себя старой, никому не нужной. Дочка ушла из дому, она счастлива, у нее любовь... У Таськи тоже любовь, да еще какая... И у Али тоже... хотя из этой любви ничего хорошего не выйдет. А я? Еще живая, еще не очень старая, еще красивая даже... Но жизни во мне не осталось. Вся эта гадкая история с Данькой сломала меня... А ведь я сильная, и к тому же я любила его... В чем же дело?

Марго вышла во двор. Было темно, сыро. Она поежилась и спустилась с крыльца. В этот момент в арку на большой скорости влетел мотоцикл. Марго вздрогнула. Вольник? Ее обдало жаром. Но оказалось, что на мотоцикле сидела девушка. Она сняла шлем, и белокурые волосы рассыпались по плечам.

— Гоняют как бешеные, — проворчал Володя. — И чего девкам на мотоциклах гонять? Безобразие одно.

— А я один раз ездила, мне понравилось...

— Так вы ж не одна, поди?

— Не одна... Но хотела бы...

— Да вы что, Маргарита Александровна? Это опасно.

— Да нет, просто я уже стара для мотоцикла.

Володя покосился на нее, но промолчал. А Марго подумала: хороший, честный малый. Не стал меня уверять, что я еще совсем не старая. У меня душа старая, вот в чем беда. А душу в салоне красоты не омолодишь, ботокс не впрыснешь... Володя, как всегда, ехал дворами и закоулками, стараясь избежать пробок. Не водитель, а сокровище! Спасибо Вольнику! Вот сейчас он не запал бы на меня. У меня глаза потухшие... В принципе, уже скоро климакс, у меня южная кровь... Нет, не буду об этом думать... Господи, на что я гожусь, если позволила поломать себе жизнь? Крутая дамочка? Где там! Интересно, у женщин бывает кризис среднего возраста? И что я все время тяну на эту актрисулю? Не в ней дело! Это даже не удар, а легкий пинок, а я сломалась...

— Володя, я сойду немного раньше, на Тверской.

— Как скажете, Маргарита Александровна.

— Спасибо, Володя. Завтра как всегда.

Володя уехал. А она свернула в переулок и вошла в симпатичный маленький ресторанчик. Прежде она там не бывала.

— Заходите, добро пожаловать, — приветствовала ее немолодая женщина. — Вы одна будете?

— Да.

Она села за столик в углу, заказала салат и двести граммов водки.

Выпила одну за другой три рюмки. Вытащила пальцами маслину из салата. Выпила четвертую рюмку. Стало чуть-чуть легче.

— Еще столько же.

Небось эту дамочку муж бросил. Или хахаль, посочувствовала официантка.

— А вам плохо не будет?

— Нет, хуже, во всяком случае, точно не будет.

Дверь открылась, вошла девушка в меховой жакетке, свеженькая, рыжая, румяная, с блестящими глазами.

— Здрасьте! — кивнула она официантке. — Я жду... человека. А пока дайте меню.

Счастливая, ждет человека... И, судя по сиянию глаз, любимого...

Марго выпила еще рюмку. Голова слегка закружилась. Она продолжала с пьяным любопытством наблюдать за девушкой. Та полистала меню. Вынула из сумки мобильник:

— Привет, я уже тут! Тебе что-то заказать или ты сам? Хорошо! Жду!

Девушка вскочила, подошла к зеркалу. Поправила волосы, оглядела себя, одернула красивый свитерок, и тут появился ее кавалер. Она повисла у него на шее. Это был Даниил Аркадьич...

Марго обомлела. Он был оживлен, весел, обнял девушку, потом снял куртку, пригладил волосы и сел за столик спиной к Марго. Он ее не заметил.

Марго вылила оставшуюся водку в пустой бокал для воды, залпом ее выпила и вдруг ощутила страшное облегчение. Вот все и решилось! И не надо мучиться, зачем? Все яснее ясного! Я его отлучила от тела, а он сильный мужик, вот и нашел замену, да еще и молоденькую. Ну и на здоровье. Марго жестом подозвала официантку, расплатилась, оставив щедрые чаевые. Сильна дамочка, подумала официантка, четыреста граммов охмянула, а вполне держится. Марго порылась в сумке, достала оттуда бумажку с записанным телефонным номером, встала и решительно направилась к столику, где сидел ее муж.

— Добрый вечер! — проговорила она.

Девушка испуганно дернулась, а Даниил Аркадьич побледнел.

— Марго! Ты откуда?

— Даня, будь добр, отдай мне ключи! — совершенно спокойно произнесла она.

— Марго, ты все не так поняла... — залепетал он.

Девушка насторожилась.

— Не волнуйтесь, милая, я его жена, но уже бывшая, бороться за него не стану, берите его со всеми потрохами.

— Марго, ты пьяна!

— Это тебя уже не касается. Да, вот еще, тут телефоны некоего Игоря Михайловича, скоро открывается новый спутниковый канал, там нужны телеведущие, они готовы попробовать тебя, позвони, не тяни! И все-таки отдай мне ключи.

— Марго, давай отложим этот разговор!

— Девушка, вас как звать?

— Лика!

— О, какое прелестное имя! Так вот, Лика, он давно хотел перейти на телевидение. Один раз сорвалось, так вы уж проследите, чтобы он все-таки позвонил. Возьмите сами эту бумажку, спрячьте в сумку. Все. Даня, ключи!

Он молча вытащил из барсетки связку ключей.

— Вот спасибо. Желаю счастья!

И она ушла.

— Это твоя жена? — спросила немного погодя Лика. — Потрясающая женщина!

— Да уж!

Едва Марго открыла дверь, как навстречу ей кинулся Бешбармак, радостно виляя хвостом, но вдруг попятился и громко залаял.

— Что случилось, Марго? Почему он лает? — выглянула в переднюю Эличка.

— Я пьяная! — радостно сообщила она.

— Марго! — хором воскликнули тетушки.

— Ничего страшного, иногда можно. Тем более есть повод! Я рассталась с Белоярцевым! — она сама не знала, почему вдруг назвала его по фамилии.

— Что? — схватилась за сердце Эличка. — Вай мэ, Марго, что ты говоришь?

— Вот! Забрала у него ключи! Завтра соберу его манатки — и адью!

— И тебе весело?

— А что мне, плакать? Биться в истерике? Еще чего! Чтобы я плакала из-за мужика? Не дождетесь.

Часть **третья**

Так не бывает

Прошло два месяца, приближался Новый год. Тася уехала с Воздвиженским. Она написала Тошке электронное письмо.

«Тошка, сестренка моя любимая, знаешь, больше всех я скучаю по тебе! Больше всех, после Андрея, потому что он побыл со мной совсем немного и умчался на гастроли. Обещал приехать на Рождество. У нас с ним пока ничего не было, ну, ты понимаешь. Он сказал, что не хочет спешить, этого нельзя делать наспех. Как ты думаешь, это правда? Или у него кто-то есть? Я призналась ему, что уже не девушка. А он сказал: «И слава богу!» Он все время твердит, что любит меня больше жизни, а я не знаю, почему же он меня не трогает? Меня это мучает, я во всем сомневаюсь... Тошка, ты такая умная, может, объяснишь? А вообще-то все просто супер! Педагоги, которым он меня показывал, все в один голос твердят, что у меня уникальные данные, и пока я занимаюсь с одной синьорой муз. грамотой, с другой — итальянским и с третьей вокалом. Короче, света белого не вижу! Тошенька, сестренка, напиши мне скорее, как там все... Я раньше не могла написать, компа не было, а теперь Андрей мне прислал навороченный комп и с русской клавиатурой, чтобы я могла с вами переписываться. Я надеялась, что там будет вэбкамера, но он сказал, что это лишнее, я буду только хуже скучать по своим. Но обещал, когда я привыкну, он мне ее купит. Ничего, мы с тобой и так друг дружку поймем. Правда же? Целую. Таисия Горчакова, будущая звезда мировой оперы!»

В тот же день пришел ответ:

«Таська, привет! Ты, видно, здорово там поглупела! Но я сейчас вправлю тебе мозги! Твой Андрей, конечно же, тебя любит без памяти, а не трогает, потому что ему кажется, что он пока не имеет права, так как это в глазах многих могло бы выглядеть... ну, скажем, использованием служебного положения. Понимаю, что написала полную хрень, просто другое сравнение пока в башку не приходит, учти, что я тоже влюблена, как стая кошек! Или стадо? Впрочем, ты же меня поняла, правда? А еще, обрати внимание, все твои учителя — тетки! Значит, он боится подпускать к тебе любого мужика! Конечно, ты должна понимать, что он иногда спит с какой-нибудь теткой, но вряд ли тебе это чем-то грозит. Ты же знаешь, они без этого не могут, но ты не бери в голову, ерунда! Просто смотри на мир открытыми глазами. Я тоже грызу гранит науки, О.Д. не дает мне спуску, и Гришка тоже гоняет будь здоров, но я не жалуюсь. Я жутко, просто кошмарно счастлива! А теперь о наших новостях. Мама выгнала Д.А. За что, могу только догадываться. Но не грустит, вся в работе, правда, глаза какие-то потухшие. Еще она выгнала Кочергу, та у них в доме не появляется. Кстати, на днях мы с Гришкой ездили к его приятелю, который живет в вашем доме на Ломоносовском. И у вашего подъезда стояла машина дяди Левы. Вот так! Твоя мама, слава Богу, не ушла в монастырь, когда ты уехала. Нущико и Эличка грустят из-за Д.А. Бешбармак вымахал с осла ростом, пришлось его забрать к нам. Нуца зимой не может с ним гулять, скользко, а он так тянет! Скоро Новый год. Мама хочет, чтобы мы все, с Гришкой, О.Д. и П.А., встречали Новый год у нас. Твоя мама тоже будет. Дядя Лева раньше всегда встречал с нами, но сейчас непонятно, мама ведь выставила Кочергу. Мы с Гришкой встретим с ними, а потом махнем в одну компанию. А я написала рассказ! Про то, как из-за одной дурацкой публикации рухнула семья. Показала Ольге Дмитриевне. Она сказала, что все здорово, но я еще не умею на столь малом пространстве развить такую непростую тему. И посоветовала написать если не роман, то повесть. *Я хочу попробовать! Да, я еще испекла Эличкин шоколадный торт на день рождения О.Д. Все гости просто писали кипятком, но никто не верил, что это я испекла! Гришка доделывает диплом, на работе тоже к концу года все стоят на ушах, так что я его мало вижу. А в Америку мы решили не ехать. Мне слегка страшно за маму. Я чую, что она бодрится, но ей хреново, а Гришке его отец отсоветовал. По целому ряду причин, это скучно писать. Вот, сестренка, такие у нас дела. Пиши чаще. Счастливо тебе, дорогая моя сестроподружка. Слово, конечно, неуклюжее, но зато емкое, правда? Будущая звезда российской литературы Виктория Горчакова».*

Перед Новым годом Марго, Аля и все сотрудники фирмы буквально сбивались с ног. По вечерам Аля ехала не домой, а к Марго, наскоро перекусив, они до глубокой ночи работали вдвоем, Аля оставалась ночевать, а утром все начиналось сначала. Как-то ночью Аля вдруг взмолилась:

— Марго, если я сейчас не выпью кофе, я просто свалюсь.

Марго посмотрела на нее с удивлением.

— Отличная мысль, как я сама не сообразила. Пошли на кухню.

Пока Марго засыпала кофе в турку, Аля тихо сказала:

— Марго, я так тебе благодарна...

— За что?

— За очень многое, практически за все, но я имела в виду... Как хорошо, что я не поехала с Таськой... Здесь от меня по крайней мере есть какой-то толк...

— Не какой-то, а еще какой!

— Ты правда так считаешь?

— Аля, ты разве еще не поняла, что я всегда говорю то, что думаю?

— Да, иной раз это бывает больно. Но ты всегда оказываешься права, даже удивительно.

— Аля, а что у тебя с Левкой? То есть, что, я и сама понимаю, но как?

— Что как? — покраснела Аля.

— Я хочу спросить, ты его любишь? А он тебя?

— Честно? Я не знаю. Ни про него, ни про себя. Иногда он совершенно не понимает меня. Вчера, например, устроил скандал по телефону. Я сказала, что не смогу с ним увидеться, на работе аврал, а он начал орать... Мы поругались. Он вообще в последнее время злой и раздраженный...

— Понятно. С такой женой...

— Он никогда о ней ничего дурного не говорит.

— Боится, наверное. Он вообще ее боится. Знаешь, бросай-ка ты его... Не любовь это... Найдешь другого. Просто надо озираться, а пока он у тебя вроде как есть, ты и не озираешься.

— Марго, а ты? Ты озираешься?

— Я? Нет. С меня хватит. И я поняла — со мной нельзя жить. Я слишком властная, слишком авторитарная, мужики этого не любят... Зачем им это? А ты как раз из тех женщин, на которых любят жениться.

Голос у Марго был измученный и непривычно слабый.

— Ты плохо себя чувствуешь? — всполошилась Аля.

— Да нет... Просто год был ужасный, хочу, чтобы он поскорее кончился.

— Тебе, вероятно, надо уехать хоть на недельку.

— А я и уеду, второго. На четыре дня полечу в Париж, к Варьке.

— Вот молодец. А знаешь, Лева мне месяц назад предложил поехать с ним в Прагу на три дня. Я обрадовалась, стала мечтать, даже купила себе кое-что, а он вдруг заявил, что никак не сможет лететь, ему врачи запретили.

— Какие врачи?

— Ну, он якобы пошел выписывать новые очки, а врач сказал, что у него может быть отслоение сетчатки, и не велел летать в ближайшее время.

— Уверена, что наврал. Испугался просто. Он же только на днях прилетел из Швейцарии.

— То-то и оно. Я даже спросила, может, у него что-то другое отслоилось. Знаешь, как он оскорбился? А еще мне на мобильник странная эсэмэска пришла...

— Да? Какая? — живо заинтересовалась Марго.

— «Не мылься, сука!» А отправитель не указан.

— Римма Павловна повторяется! — усмехнулась Марго.

— Думаешь, это она? — поразилась Аля.

— Не думаю, а точно знаю! Из-за этого я ее и выгнала из дому.

— А что ж она тебе писала?

— Все в таком же духе. Я думала, уймется... Я ведь Левке объяснила... Вот что, Аля, ты эту эсэмэску стерла?

— Конечно.

— Так вот, если еще придет, покажи ее Левке. Скажи, что тебя уже это замучило.

— Зачем?

— А пусть он ей вмажет.

— Не вмажет... побоится.

— Да, наверное... Господи, что она с ним сделала... Это был такой прелестный человек... Ну да Бог с ним. Пошли еще поработаем. А ты все-таки озирайся.

Лев Александрович позвонил Даниилу Аркадьичу.

— О, Левочка! Рад слышать! Как жизнь молодая?

— Разве это жизнь? — тяжело вздохнул Лев Александрович. — Дань, давай встретимся, выпьем пивка, а лучше водочки, поговорим по ду-

шам... Чего-то оглянулся по сторонам — пустота.
Словом не с кем перемолвиться. А мы, как-никак,
понимаем друг дружку.

— Что ж, давай! Завтра у меня часа в четыре
будет время, как смотришь?

— Годится.

— Левочка, а ты точно звонишь не по просьбе
Марго?

— Ты смеешься? Марго стала бы меня просить,
если бы вздумала с тобой пообщаться?

— Пожалуй, ты прав. Я все надеюсь, вдруг в
ней проснется что-то человеческое.

— Полегче на поворотах, дружище. Я свою сестру в обиду не дам.

— Все, проехали. Значит, завтра в четыре. По-
обедаем, выпьем. Рад буду видеть!

— Элико!

— Нуца, погоди, еще пять минут!

— Опять ты смотришь этот маразм! — возмути-
лась Нуцико.

— Я же не мешаю тебе смотреть твои политиче-
ские программы!

— Ладно, я жду тебя на кухне.

Действительно, через пять минут Эличка явилась на кухню.

— Что тебе приспичило?

— Поговорить надо!

— О чем это?

— О Марго.

— А что с Марго? Случилось что-то? — встревожилась Эличка.

Нуцико взяла сигарету, щелкнула зажигалкой, глубоко затянулась.

— Вах, Нуца, ты меня пугаешь!

— Послушай меня...

— Вай мэ!

— Элико, я боюсь за Марго. Мне она не нравится. Она в последнее время как сжатая пружина, и, по-моему, у нее депрессия.

— Она собирается лететь к Варе в Париж... Отдохнет, развеется... — испуганно пролепетала Эличка.

— Это не поможет!

— Знаешь, когда Котэ ушел, у меня тоже была депрессия, но жизнь взяла свое. Я уж не говорю о...

— И не говори. Я понимаю, — кивнула Нуца. Она и так знала, что Эличка имеет в виду гибель сына.

— Но я живу... И даже радуюсь иногда... Мы вырастили Тошку... Пригодились...

— Но Марго еще рано растить внуков, тем более что у Тошки, слава богу, нет намерения в ближайшее время сделать ее бабкой.

— А знаешь, они когда вернулись с Майорки, хотели завести еще ребеночка, а потом эта история...

— Элико, я хочу с тобой посоветоваться.

— Нуца, ты же всегда была самая умная, зачем тебе мой совет?

— Тут такая история, что совет просто необходим. У меня нет стопроцентной уверенности, но я могла бы попробовать помочь Марго...

— Так помоги, если можешь!

— Элико, мне немного страшно...

— Ну, говори уже, в чем дело!

— Слушай!

Даниил Аркадьич и Лев Александрович обрадовались друг другу.

— Привет, старина! — хлопнул Даниила Аркадьича по плечу Лев Александрович. — Выглядишь классно!

— Ноблесс оближ!

— Это в каком смысле? Какой ноблесс? Холостая жизнь, что ли?

— Да нет, я же теперь на телевидении работаю. Надо соответствовать.

— Да? А почему я тебя не видел ни разу?

— Пока я на спутниковом канале. Это, знаешь ли, прощальный подарок Марго. Она мне швырнула этот контракт в качестве отступного... Все-таки, Левочка, она стерва! Безжалостная, холодная стерва.

— Никогда не думал, что она холодная, — усмехнулся Лев Александрович.

— Не о том речь, — поморщился Даниил Аркадьич. — Ладно, расскажи лучше о себе?

— Да как-то все хреново, брат Данила! Бабы достали! Как-то все разом на меня ополчились...

— Кто все? — улыбнулся Даниил Аркадьич.

— Да все, девка эта на работе. Лялечка, черт бы ее взял, Верка с Риммкой снюхалась, мстит, паскуда, Римма со свету сживает, буквально, ну и Аля...

— Аля со свету сживает? Ой, слабо верится!

— Да не то чтобы сживала... Но достает.

— Так избавься от них! В чем проблема?

— От Верки я избавился, а она, тварь, мне теперь мстит, выследила меня с Алей, стукнула Риммке, та пасла меня у квартиры, где мы с Алькой встречались...

— Застукала?

— Бог миловал! А потом еще Марго сказала, чтобы Риммкиной ноги в ее доме не было.

— С чего вдруг?

— Оказалось, эта гадина посылала Марго всякие гнусные эсэмэски.

— Так это Римма? — поразился Даниил Аркадьич.

— Представь себе. Я чуть со стыда не сгорел перед тетками и Марго... Теперь Римка меня к ним в дом не пускает, скандалит...

— И ты поддался?

— Да нет, бываю там, но вот на Новый год... Она меня утаскивает на Гоа. А что я там забыл, черт бы ее подрал!

— Так, с Риммой ясно. А с секретуткой что?

— Не дает, падла! Подарков требует. И еще грозит ославить, если выгоню. Жуть просто! Я ей сережки серебряные купил, так она их в рожу мне швырнула. Мол, за такую дешевку ублажать такого старого козла ей незачем. А я без нее уже не могу... Тиски, брат.

— Да... Круто... Ну, а Аля-то что?

— А она любви хочет, всяких слов, какого-то определенного стиля поведения. А просто послать ее далеко и надолго я не решусь... Если Марго взбесится, я могу вообще ни с чем остаться, я ж финский дом на нее перевел... Мужика бы ей другого найти, что ли... Я надеялся, она с Таськой в Италию подастся, так нет... Марго отговорила... Ну и что мне делать, а? Хоть вешайся!

— Слушай, я попробую тебе помочь!

— Сам, что ли, на Альку глаз положил? — озлился вдруг Лев Александрович.

— Да боже упаси! Она для меня слишком пресная. Есть у меня один приятель, меня с ним Марго познакомила, некто Михеев, знаешь такого? Михей Михеев, банкир в отставке. Он мечтает жениться на скромной русской бабе, но с мозгами и без фанаберий. Он скоро в Москву собирается, решил, что непременно помирит меня с Марго.

— А ты хочешь?

— А ты как думаешь?

— Ну с ней же тяжело, ответственно...

— Ты Цветаеву хорошо знаешь?

— При чем тут Цветаева?

— А у нее стихотворение есть, «Попытка ревности», кажется. Там такие строки: «После мраморов Каррары как живется вам с трухой гипсовой?»

— Значит, в сравнении с ней другие бабы — труха?

— По большому счету — да. Кстати, я все-таки сделал генетическую экспертизу. Ребеночек-то не мой...

— Так зачем она...

— Поди спроси. Но вернемся к Михееву. Думаю, Аля ему понравится, он девчонок не любит, а она еще вполне... Как ты на это смотришь?

— Я? В целом положительно. Но, боюсь, она слишком в меня влюблена. Слушай, а если ему мою Лялечку подсунуть?

— Нет, не прохиляет. Молода, корыстна, безмозгла. Он на такую не клюнет... Просто без Али ты легче разберешься с оставшимися двумя. Только надо будет нам вчетвером встретиться, чтобы у него стимул был.

— Какой стимул?

— Отбить!

— А... Хитрый ты, брат! А когда он приезжает, твой Михайлов?

— Михеев. Десятого января.

— Годится.

Двадцать девятого декабря вечером Таня родила
дочку. Марго и Аля поехали к ней тридцатого рано
утром, потому что в предновогодние дни проехать
по Москве огромная проблема. Их к ней не пусти-
ли, но они поговорили по телефону и оставили подарки — корзину цветов и кучу всяких вкусностей к
Новому году для Тани и ее соседок по палате.

— Девчонки, я такая счастливая, — рыдала и
сморкалась в трубку Таня. — Она просто красавица...
и у нее уже темные бровки, можете себе представить?

— А молоко у тебя есть?

— Хоть залейся! Меня третьего обещают выпи-
сать.

— Я за тобой приеду! — кричала Аля. — Марго
второго улетает, ну, мы еще созвонимся.

— Спроси, ей не надо деньги на телефон положить?

— Марго спрашивает, не надо тебе деньги на телефон положить?

— Нет, пока нет, я позаботилась! Ой, девчонки, я
вам желаю Нового года самого счастливого! И чтоб у
вас появились хорошие мужики, а может, и еще детки!
Спасибо вам за все, я вас люблю, вы самые лучшие!

— Вот, хоть одна хорошая новость напосле-
док, — вздохнула Марго.

— Ну почему? Мы с тобой закончили работу, подвели итоги, все слава богу! Разве нет?

— Безусловно, — кивнула Марго. — Но я хочу, чтобы этот год поскорее кончился.

— Да, я понимаю... — кивнула Аля. — А к Таське на Рождество прилетел Андрей. На один день. Из Америки... Не поленился.

— Он ее любит по-настоящему. Она у тебя чудо. Такой голос...

— Я так скучаю по ней...

— Давай мы с тобой в конце февраля к ней слетаем на выходные.

— Почему в конце февраля?

— А вот закончим проект для Вишневецкого и слетаем.

— Марго!

— И Тошку возьмем, вот радости будет! Только ты пока никому не говори.

— Сюрприз?

— Конечно.

— Марго, скажи, а... Лева придет на Новый год?

— Не знаю. Если придет один, будем только рады, а с этой сукой я за одним столом сидеть не желаю. Знаешь, мне Тошка на днях сказала, что она ей и Таське еще летом подарила книжку «Как захомутать миллиардера», сказала, что в их возрасте очень полезное чтение. Это она заботу о них про-

явила. Вот идиотка! А девчонки сразу этот подарок на помойку отнесли.

— Марго, может, надо как-то в доме помочь?

— Да нет, Эличка с готовкой сама справится,
убирает домработница, а завтра еще Тошка придет
пораньше.

— А елка есть?

— Конечно, Володя вчера купил, красавица,
высокая, пушистая. Тошка утром нарядит, она давно уже никого к елке не подпускает.

Марго приснилось, что она, сегодняшняя, плывет в теплом ласковом море. Вдруг рядом она видит мужчину, он плывет мощно, красиво, и ей кажется, что она когда-то его видела.

— Марго, здравствуй, ты меня не узнаешь? Я так
изменился?

У нее замирает сердце.

— Гиечка? Это ты?

— Я, Маргоша, я.

— Но ты же умер?

— Разве? А я думал, что жив, по крайней мере для
тебя... — и он начинает медленно таять в воздухе.

— Гия, Гия! Ты жив, для меня ты всегда жив, Гиечка, не уходи, вернись!

И он возвращается.

— Гиечка, не уходи больше, ты же знаешь, я
люблю тебя «до смерти».

— А после смерти?

— И после, и после, если бы ты знал, как ты мне нужен, Гиечка! — она вдруг выбилась из сил.

— Маргоша, ты устала, перевернись на спину, расслабься, отдохни... А я рядом. Мы доплывем, не бойся.

— Не получается... Все думают, что я такая сильная, крутая, и не могу их зарочаровать, но вот расслабиться не выходит. Разучилась, да и нельзя мне...

— Марго, тебе только кажется... Ты просто внушила себе и всем, что ты сильная... А ты такая нежная, ранимая. Нежнее, чем польская панна, и, значит, нежнее всего...

— Гия, это ты?

— Я, Маргоша, я. А ты думала кто?

— Один человек, живой, сказал про меня, ну, насчет польской панны...

— Так это я...

— Нет.

— Ты ошибаешься, просто он — мое другое воплощение... Если бы меня не убили, ты обязательно влюбилась бы в меня. Это несостоявшаяся история любви... Я это понял, но уже там... И я — это он, а он — это я...

— Гия, но ведь этого быть не может, я не верю во все это...

— А ты поверь... Просто поверь...

— Но мы ведь двоюродные...

— Но не родные же... Я люблю тебя, Марго... Не важно, как меня зовут, не важно, как я выгляжу... Ну вот, мы и доплыли... А теперь мне пора...

— Гиечка, дорогой мой, любимый, не уходи!

— Я еще приду, Марго, главное, чтобы ты меня узнала...

Марго проснулась в слезах. Что за ерунда иной раз снится... Какая там любовь у нас с Гией? Чепуха... А я, кажется, понимаю... Гия — единственный мужчина, в котором я не разочаровалась... За этот год разочарований было много... Но самое главное — отец. Я все-таки прочла несколько тетрадей перед тем, как утопить их. А Гия погиб таким молодым, что я просто не успела... Вот и объяснение... Данька — мне казалось, что он сильный, а он... Да ладно, это уже пройденный этап. Левка превратился черт знает во что... Вольник... Такое же трепло, как и все остальные. Любовь у него, видите ли, он даже к Нуцико приезжал сообщить, что я, оказывается, слабая... И что? Да ну его, этого Вольника, у меня уже нет сил бороться с ураганом... А может, и вправду, останься Гия в живых, у нас был бы роман? Кто это может знать... Но если такое приснилось, значит, где-то в подкорке это сидит? Но я никогда даже не думала о нем в таком ключе... Бред. Я просто переутомлена.

— Мамочка, проснулась?

— Тошка? Который час?

— Одиннадцатый уже! Я успела елку нарядить! Мама, тебя тут спрашивают!

— Кто?

— Один молодой человек.

Вольник, мелькнула мысль, Марго испугалась. Тошка открыла дверь.

— Прошу вас, заходите!

— С ума сошла! — взвизгнула Марго, но в комнату ворвался Бешбармак. Вскочил на кровать и принялся лизать Марго в лицо, восторженно повизгивая.

— Я его привела встречать Новый год, не оставлять же его одного! Ты рада, мама?

Марго обняла чудного пса.

— Тошка, иди тоже к нам, целоваться будем!

Тошка с восторгом плюхнулась на кровать.

Так их и застала Нуцико.

— Скажите спасибо, что Эличка этого безобразия не видит! — засмеялась она. — Бешбармак, бесстыжая твоя морда, совсем забыл старую тетку?

Пес вдруг поднял голову и с воем кинулся к Нуцико. Он крутился вокруг нее, восторженно подвывая, лизал руки, вилял хвостом.

— Господи, какой он чудный! — умилилась Марго.

— Гришка говорит, что он все понимает. Знаете, на днях он пришел здорово расстроенный, у него друг в

Ростове попал в аварию и погиб, так Бешбармак встал на задние лапы, уперся лапами Гришке в грудь, до плеч он пока не достает, и тоже начал плакать.

— Да, он и со мной такое проделывал, — кивнула Марго. — Тош, уведи его, я хочу спокойно встать.

— Маргоша, что-то случилось? — тихо спросила Нуцико. — Что-то хорошее? У тебя сегодня совсем другое лицо. Тебе кто-то звонил?

— Нет, мне просто приснился хороший сон.

— Расскажи.

— Я ничего не помню, просто осталось приятное ощущение. И к тому же кончается этот поганый год.

— Марго, а Даня...

— Что?

— Это бесповоротно?

— Да!

— Но вы же любили друг друга...

— Нуца, дорогая моя, любимая Нуца, ну не создана я для семейной жизни. Со мной жить нельзя. И дело не в его бабах, черт бы с ними, хоть и противно... Дело во мне, я, видимо, предъявляю к ним какие-то требования, которых нынешние мужчины просто не в состоянии выполнить... Ничего, я обходилась без мужа и впредь обойдусь. Я не зарекаюсь от какого-то романа, но замуж — никогда! Может, если бы мы не съехались... А впрочем, Бог с ним. Я зла не держу... Я сама в большей степени виновата. Ну ладно, надо вставать.

— Аля звонила, что напечет шанежек.

— Хорошо, пусть. Ох, я же забыла, у меня в три маникюр!

— Как ты поедешь?

— Такси поймаю, хотя сегодня можно в такую пробку попасть, что до ночи не доберешься. Поеду на метро.

— Ты давно в метро-то ездила?

— Не далее как позавчера. У меня была важная встреча, но даже Володя сказал, что мы не успеваем. Ничего страшного, не развалюсь.

— Мама, иди посмотри, какая получилась елка!

— Марго, иди попробуй сациви, кажется, я положила мало шафрана!

Но тут вдруг как-то разом зазвонили все телефоны. Начались поздравления.

Когда Марго ушла на маникюр, Эличка сказала:

— Мне показалось, что Маргоша сегодня другая...

— Да! Говорит, ей хороший сон приснился.

— Но в таком случае... Мы не испортим ничего?

— Нет, мы только закрепим успех.

— Ты уверена?

— Элико, отвяжись от меня! Я сама волнуюсь.

— Ой, вай мэ!

Когда она вернулась, уже на лестничной площадке витали фантастические запахи Эличкиной стряпни.

В квартире было тихо. Тетки отдыхали. Тошка валялась на диване с телефоном в руках. Она кивнула матери и с блестящими глазами продолжила разговор. Господи, как же она хороша! — вдруг заметила Марго. Юная прекрасная женщина... А я... Старая изработанная кляча... Нет, нельзя так думать! Это последнее дело. Я красивая, сильная деловая женщина. Я многого добилась. Она пошла к себе, села перед трюмо. У меня отличная фигура, причем практически без хлопот, наследственность хорошая, у меня густые красивые волосы, да и лицо еще вполне... И без пластики, между прочим. Мои все, слава богу, живы-здоровы, так чего кукситься? И, оказывается, у меня даже есть ангел-хранитель, Гиечка, вот он приснился мне, и я сегодня совсем другая, какие-то силы появились... Хоть я и не верю во всю эту чепуху... Но факт остается фактом. Только нельзя говорить об этом Эличке. Она сама почти никогда не говорит о сыне. Боится бередить рану. Гиечка, я сегодня буду веселая и красивая, чтобы ты был мной доволен, сама себе поражаясь, тихо прошептала Марго.

Она встала, вышла из спальни и позвала дочь:

— Тошка, кончай треп! Пора подарки под елку класть!

— Ура!

Часов в шесть в дверь позвонили, громко, нервно. Марго вздрогнула. Это какая-то неприятность, мелькнуло у нее в голове, и она побежала открывать. На пороге стоял Лев Александрович. Вид у него был встрепанный, глаза лихорадочно сверкали.

— Марго! — патетически воскликнул он и заключил сестру в объятья.

— Левочка, что стряслось?

— Маргоша, я сбежал от Риммы!

— Как сбежал? Откуда?

— Из аэропорта! Я сбежал, а она улетела на Гоа! Она уже летит! А я тут!

— Но как ты умудрился? — рассмеялась Марго.

— О, план бегства был продуман до мелочей! Мы приехали в аэропорт, прошли таможню, и вдруг перед паспортным контролем я притворился, что сломал вставную челюсть! Куда ж в таком виде лететь в Индию? Да и ей шамкающий муж рядом тоже отнюдь не в радость! Скажи, клево придумано?

— И она поверила? — усомнилась Марго.

— Еще как поверила! Хотела даже остаться, но я настоял, чтобы она летела.

— Но она же не слепая, как тебе удалось?

— Моисей Израилевич помог, золотой человек! Я ему напрямую объяснил ситуацию, он долго хохотал, а потом придумал: я, говорит, сделаю вам капу...

— Это, кажется, боксеры надевают...

— У боксеров другая история, а это, когда делают новые зубы, изготавливают такую временную челюсть. Короче, я свою снял, положил в карман, а надел эту самую капу, а Моисей объяснил мне, что надо сделать, чтобы она сломалась в нужный момент. И вот я здесь, с вами, а моя благоверная летит себе на Гоа. И пробудет там целых две недели!

— Господи, Левка, ты как ребенок, ей-богу! — рассмеялась Марго. — Только мой тебе совет — не рассказывай эту героическую историю Але. Зачем ей знать, что у тебя вставная челюсть?

— Тоже верно. А я не подумал... Дурак старый! Ох, Марго, как же я рад, что здесь, с вами. Говорят, как встретишь Новый год, так его и проведешь. С вами и без Риммы. Кстати, Маргоша, можно один интимный вопрос?

— Ну?

— Ты знаешь некоего Михеева?

— Знаю, а что?

— Понимаешь, мне один человек предложил...

— Что?

— Ты только не сердись, ладно?

— Да в чем дело? — уже начала сердиться Марго.

— Как ты полагаешь, Аля не годится ему в жены?

— Что? — не поверила своим ушам Марго.

— Ну как тебе объяснить... Стар я уж для нее, а она такая чудная, милая, я ее очень люблю, но... Понимаешь, с ней нельзя просто так, какие-то обязательства, то, се, ну не привык я так...

— А зачем лез? Я тебя предупреждала!

— Маргоша, но ты же и ее предупреждала, ну так получилось, бывает... Я же не хочу причинить ей боль, нет, я хочу, чтобы он ее у меня отбил, понимаешь? И все будет хорошо.

— Не иначе это идея Даньки.

— Ну да. Но ведь хорошая идея, а?

— Идея-то неплохая, но где гарантия, что она ему понравится или он ей?

— Ну, Маргоша, попытка не пытка, правда? Но он приличный человек?

— Да. Безусловно. И очень богатый. Если бы что-то вышло... А впрочем, может и выйти... Чем черт не шутит. Но как его заманить в Москву? Не везти же Алю куда-то на смотрины!

— Он приедет на днях. Мирить тебя с Даней. Ой, кажется, я сболтнул лишнего.

— Это бессмысленно, но насчет Али... можно попробовать.

— Данька сказал, что Михеев не клюет на молоденьких.

— Ну, его сексуальные пристрастия мне неведомы, но попробовать можно...

— А ты и вправду не хочешь мириться?

— Знаешь, я даже думать о вашем брате не желаю, а этот разговор с тобой только укрепил меня в этом нежелании. Тьфу!

— Маргоша, не сердись.

— Отвянь, козлище!

— Фу, как невежественно!

— Зато твои разговоры образец мужественности!

— Да, ты права, сестренка, как всегда, права!

Все уже сидели за столом и провожали Старый год. Марго в золотистом шелковом платье выглядела ослепительно. Была весела и остроумна.

— Твоя мама — улет! — шепнул Гриша Тошке.

Аля страшно обрадовалась приходу Льва Александровича. Он был нежен с ней, внимателен. Таська днем звонила, сказала, что будет встречать Новый год с семьей хозяйки пансиона. А потом целые сутки спать. Она ужасно устала. Но все равно счастлива. А что еще нужно матери?

Без четверти двенадцать в дверь позвонили. Тетки переглянулись.

— Римма! — побелел Лев Александрович.

— Вот иди и открой! — рассердилась Марго.

Лев Александрович понуро и покорно поплелся в прихожую. И вдруг оттуда донесся его радостный голос:

— Боже мой, какими судьбами!

Мужской голос что-то ответил ему. И тут же Нуцико вскочила из-за стола и выбежала в прихожую.

А Марго застыла. Этого просто не может быть! — пронеслось у нее в голове. Но тут в комнату вошел Лев Александрович и высокий мужчина с огромным букетом подсолнухов.

— Добрый вечер, господа! — произнес Юрий Валентинович Вольник. Он был в превосходном сером костюме с голубой рубашкой, правда, без галстука. И банданы на нем тоже не было.

— Марго, что ты сидишь, встречай гостя!

— Ой, куранты бьют! — закричала Тошка.

Гриша уже открывал шампанское, кто-то сунул бокал в руку Вольника.

Он положил цветы на стул, поставил бокал, быстро открыл вторую бутылку, помог разлить. При этом он еще ни разу не взглянул на Марго.

— Мам, кто это?

— Один клиент, — не придумала она ничего умнее.

Все вскочили, стали чокаться, желать нового счастья в новом году. Вольник выпил бокал до дна, поставил его, взял букет и шагнул к Марго.

— С Новым годом!

— Откуда ты?

— Из Красноярска. Боялся опоздать. И загадал, если успею...

— То что?

— Надо объяснять? Я успел. Но цветы хорошо бы поставить в воду.

— Да, я сейчас, обожаю зимой подсолнухи...

— Я так и подумал.

Они вышли на кухню.

— Марго...

— Вольник... Каким ураганом тебя принесло?

— Меня пригласила Нуца Вахтанговна. Ты не рада мне?

— Дурак...

— Сама дура!

— Еще какая!

Он хотел обнять ее, но тут в кухню вошла Эличка.

— Вах, извините, я хочу взять пирог.

— Эличка, позволь тебе представить — Юрий Валентинович Вольник.

Эличка улыбнулась, протянула ему руку, посмотрела в глаза. И вдруг страшно побледнела. Пошатнулась.

— Элико, что с тобой? — кинулась к ней Марго.

— Марго, посмотри, у него глаза Гии! Гиечка! — еле слышно выдохнула она.

Но ведь так не бывает? — растерянно подумала Марго.

СОДЕРЖАНИЕ

Часть первая. Концы в воду 5

Часть вторая. Росчерком пера 93

Часть терья. Так не бывает 255

Литературно-художественное издание

Екатерина Николаевна Вильмонт

ПОДСОЛНУХИ ЗИМОЙ
(Крутая дамочка-2)

Ответственный редактор *И. Архарова*
Технический редактор *Т. Тимошина*
Корректор *И.Н. Мокина*
Компьютерная верстка *Н. Пуненковой*

ООО «Издательство АСТ»
141100, РФ, Московская обл., г. Щелково, ул. Заречная, д. 96

ООО «Издательство Астрель»
129085, г. Москва, пр-д Ольминского, д.3а

Вся информация о книгах и авторах Идательской группы «АСТ»
на сайте:www.ast.ru

По вопросам оптовой покупки книг Идательской группы «АСТ»
обращаться по адресу: г. Москва, Звездный бульвар, 21 (7 этаж)
Тел.: 615-01-01, 232-17-16

Заказ по почте:
123022, Москва, а/я 71, «Книга — почтой»,
или на сайте shop.avanta.ru

Отпечатано с готовых диапозитивов
в типографии ООО «Полиграфиздат»
144003, г. Электросталь, Московская область, ул. Тевосяна, д. 25

АСТ Издательская группа АСТ

КАЖДАЯ ПЯТАЯ КНИГА РОССИИ

НАШИ КНИГИ ВЫ МОЖЕТЕ ПРИОБРЕСТИ
В СЕТИ КНИЖНЫХ МАГАЗИНОВ

БУКВА

в Москве:

- м. Бауманская, ул. Спартаковская, 16, стр. 1
- м. Бибирево, ул.Пришвина, 22, ТЦ «Александр Ленд», этаж 0
- м. Варшавская, Чонгарский б-р, 18а, т. 110-89-55
- м. Домодедовская, ТК «Твой Дом», 23 км МКАД, т. 727-16-15
- м. Крылатское, Осенний б-р., 18, корп.1, т. 413-24-34 доб.31
- м. Кузьминки, Волгоградский пр., 132, т. 172-18-97
- м. Павелецкая, ул. Татарская, 14, т. 959-20-95
- м. Парк Культуры, Зубовский б-р, 17, стр.1, т. 246-99-76
- м. Перово, ул. 2-я Владимирская, 52/2, т. 306-18-91
- м. Петровско-Разумовская, ТК «XL», Дмитровское ш., 89, т. 783-97-08
- м. Преображенская площадь, ул. Большая Черкизовская, 2, к. 1, т. 161-43-11
- м. Сокол, ТК «Метромаркет», Ленинградский пр-т, 76, к. 1, эт. 3, т. 781-40-76
- м. Сокольники, ул. Стромынка, 14/1, т. 268-14-55
- м. Таганская, Б.Факельный пер., 3, стр.2, т. 911-21-07
- м. Тимирязевская, Дмитровское ш., 15, корп.1, т. 977-74-44
- м. Царицыно, ул. Луганская, 7, корп.1, т. 322-28-22

в регионах:

- Архангельск, 103 квартал, Садовая ул., 18, т.(8182) 65-44-26
- Белгород, Хмельницкого пр., 132а, т.(0722) 31-48-39
- Владимир, ул. Дворянская, 10, т. (0922) 42-06-59
- Волгоград, Мира ул., 11, т.(8442) 33-13-19
- Екатеринбург, Малышева ул., 42, т.(3433) 76-68-39
- Киев, Льва Толстого ул., 11, т.(8-10-38-044) 230-25-74
- Краснодар, ул. Красная, 29, т.(8612) 62-75-38
- Красноярск, «ТК», Телевизорная ул., 1, стр.4, т.(3912) 45-87-22
- Липецк, Первомайская ул., 57, т.(0742) 22-27-16
- Н.Новгород, ТК «Шоколад», Белинского ул., 124, т.(8312) 78-77-93
- Ростов-на-Дону, Космонавтов пр., 15, т.(8632) 35-95-99
- Самара, Ленина пр., 2, т.(8462) 37-06-79
- Санкт-Петербург, Невский пр., 140, т.(812) 277-29-50
- Санкт-Петербург, Савушкина ул., 141, ТЦ «Меркурий», т.(812) 333-32-64
- Тверь, Советская ул., 7, т.(0822) 34-53-11
- Челябинск, Ленина ул., 52, т.(3512) 63-46-43
- Ярославль, ул. Свободы, 12, т. (0862) 72-86-61

Книги издательской группы АСТ Вы можете также заказать и получить по почте
в любом уголке России.

Пишите: 107140, Москва, а/я 140. Звоните: (495) 744-29-17
ВЫСЫЛАЕТСЯ БЕСПЛАТНЫЙ КАТАЛОГ

Издательская группа АСТ
129085, Москва, Звездный бульвар, д. 21, 7-й этаж
Справки по телефону: (495) 615-01-01, факс 615-51-10
E-mail: astpab@aha.ru   http://www.ast.ru

МЫ ИЗДАЕМ НАСТОЯЩИЕ КНИГИ

ЕКАТЕРИНА ВИЛЬМОНТ
«БЫЛОЕ и ДУРЫ»

«Сейчас я пишу о любви, а когда-то переводила с немецкого. И когда готовилась эта книга, я сначала глубоко задумалась, а потом решила — назову-ка я ее «Былое и дуры».

Тут и почтительная дань мировой классике, и четкое определение содержания. «Былое» — это мои переводы, а «дуры» — мои героини. Ведь каждая женщина, как бы умна и образована они ни была, влюбляясь, теряет голову — попросту дуреет, а я ведь пишу о любви».

Екатерина Вильмонт